VIATEUR BEAUPRÉ

PAROLES ALLANT DROIT

FAUT-IL ENCORE PENSER, LIRE, ÉCRIRE?

la lignée

Quatrième édition, corrigée, refondue et augmentée de deux chapitres, tirée à 2 000 exemplaires.

Le titre des deux premières éditions, publiées au Cégep de Sept-Îles et tirées chacune à 500 exemplaires, était *Paroles allant droit, Paroles allant vers.*

La troisième édition, publiée à La Lignée en 1983 et tirée à 2 000 exemplaires, est parue sous le titre actuel.

Données de catalogage avant publication (Canada)

Beaupré, Viateur, 1923-

Paroles allant droit : faut-il encore penser, lire, écrire ?

Publ. antérieurement sous le titre : Paroles allant droit, paroles allant vers.

2-920190-11-3

1. Langage et langues - Philosophie. 2. Français (Langue) - Québec (Province). 3. Français (Langue) - Etude et enseignement - Québec (Province). I. Titre. II. Titre : Paroles allant droit, paroles allant vers

P112B43 1985 401 C85-094207-1

Dépôt légal: 4e trimestre de 1985
Bibliothèque nationale du Canada
Bibliothèque nationale du Québec
ISBN: 2-920190-11-3

Les Éditions La Lignée Inc.
C.P. 389
Beloeil, QC
J3G 5S9

Tous droits de traduction, de reproduction et d'adaptation réservés pour tous les pays, y compris l'Afghanistan et le Québec.

© Les Éditions La Lignée Inc., 1985

TABLE DES MATIÈRES

POSTFACE EN PRÉFACE

J'avais une idée fixe en écrivant ce livre: convaincre le lecteur que sa pensée et sa langue maternelle sont parmi ses biens les plus précieux; qu'il doit en prendre soin comme on prend soin de son âme.

Cette idée, fixée, enracinée chez moi, je souhaite qu'elle se fixe, s'enracine chez les autres. Je sais: on est porté à se méfier des idées fixes. En pensant à une idée fixe, on pense uniquement à quelque chose de fixe, de borné comme un poteau de métal; on oublie que l'arbre est encore plus fixe qu'un poteau. Certaines idées fixes sont donc stériles comme un poteau métallique; d'autres sont fécondes comme un arbre, souples comme un arbre, ouvertes aux sucs nourriciers de la terre, ouvertes aux influences du vent, de la pluie, du soleil, des oiseaux, de l'homme et du cosmos.

L'érable est fixé dans sa forme d'érable, le chat, dans sa forme de chat, l'homme, dans sa forme humaine. Si l'homme et le chat n'étaient pas fixés, ils courraient un terrible danger. L'homme qui n'a pas l'idée fixe d'être lui-même deviendra tout le monde, un grand c**on** anonyme. Si le chat ne se répète pas farouchement qu'il est chat, il va se dissoudre dans le Grand Tout abracadabrant du chaos informe; il deviendra — qui sait? — chameau, crachat, entrechat, chafouin, chas, chatouille, chanoine, pacha, chaconne, chapon, shako, châssis, schah, charabia ou chapelain chahuté au cha cha cha.

Quand donc je poursuis obstinément mon idée fixe de faire voir l'importance de la pensée et de la langue, j'ai la conviction que cette idée fixe ne ressemble en rien à un poteau de métal stérile, mais plutôt à un arbre, à un chat et surtout à un homme.

Si parfois je te pique au cours de ces pages, ne me regarde pas en coin comme un chafouin, ne me prends pas en grippe comme un jocrisse. Je te houspille pour te réveiller. Parce que je crois à ta dignité. Autrement, je te dirais: «Roupille et bousille!»

CHAPITRE 1

POURQUOI LA LANGUE?

Pour communiquer entre eux, les hommes ont inventé plus d'un moyen. Comme d'ailleurs les animaux et les plantes, tout ce qui vit et cherche à échanger, sous peine d'anémie, de stérilité et d'asphyxie. S'il avait choisi de rester animal, l'homme se serait contenté d'exprimer sa personnalité et ses besoins primaires par le cri, la moue, les oeillades, les oreillades, les caresses, les coups de poing, les coups de pied. Mais peu à peu il a senti le besoin de communiquer par des moyens plus raffinés, tout comme il s'est peu à peu rendu à l'évidence qu'une aiguille de métal rendrait de plus grands services en certains cas qu'un silex taillé ou une mâchoire de mammouth. De même, il est arrivé à cette conviction qu'au lieu de toujours s'exprimer par le cri, il vaudrait mieux, parfois, utiliser la parole ou le chant; il s'est également rendu compte que pour parler de l'univers et de lui-même, il serait bien utile d'avoir un autre moyen d'expression que le mime, le sémaphore, les panneaux de signalisation routière et le blablabla des nourrissons.

Si l'homme s'est inventé une langue pour communiquer efficacement tout ce qu'il avait à dire, de l'infiniment grand à l'infiniment petit, en passant par cet autre cosmos qu'est son être intérieur, il s'ensuit que la qualité d'une langue s'évalue d'abord à son efficacité à transmettre un message. Une langue est donc bonne ou mauvaise, dans le sens strict où l'on dit d'un outil qu'il est bon ou mauvais, c'est-à-dire bien ou mal adapté au résultat que l'on veut obtenir grâce à lui.

Si je suis convaincu que la langue a été inventée pour communiquer entre humains, je devrai donc, quand je parle ou que j'écris, m'efforcer

1. de dire des choses sensées (qui ont du sens, qui ont du bon sens; c'est le contraire de parler pour ne rien dire ou parler pour dire des sottises);
2. de dire ces choses sensées avec le maximum de clarté;
3. de les dire en tenant compte de mon auditeur, de son aptitude à comprendre mon message. (Einstein n'aurait pas parlé de physique nucléaire avec des étudiants du secondaire de la même manière qu'il en parlait avec des physiciens de calibre international. Et un homme sensé ne parle pas à son bébé comme il parle à sa femme; sinon, sa femme redeviendra bébé ou sacrera le camp, et son bébé deviendra maboul comme ces universitaires étranges dont je vous parlerai bientôt.)

J'étais dans l'avion, assis devant deux gars de la construction qui parlaient une langue verte, rugueuse, juteuse, colorée. L'un des deux expliquait qu'il avait eu un accident de voiture, que le garagiste *niaisait* pour la réparer, qu'il lui avait posé un pièce trop courte de deux pouces, bref, que ce maudit garagiste lui avait fait perdre sept jours d'ouvrage. L'autre, un gars généreux et impulsif, réagissait fortement à ce récit. Un instinct de solidarité élémentaire l'amenait à prendre parti contre le garagiste. Il résuma éloquemment son état d'esprit par les deux phrases suivantes: «*Laiss'toé pas empissetter, tabarnac: tiens-toé d'boutte! Un gars d'la construction, ça s'tient d'boutte!*» Voilà. L'autre avait bien compris; le message était passé en balle, sans accrochage, sans barlandage, sans fafinage, sans détours inutiles. Bravo! Voilà qui est parler pour dire quelque chose et le dire clairement! Je leur donne 10 sur 10. Paroles allant vers un but, paroles allant droit au but.

Une autre fois, j'étais dans un vaste auditorium rempli à craquer par huit cents enseignants de tous les niveaux. S'amènent quatre éminents conférenciers, universitaires distingués, deux de France, deux du Québec, pour nous faire comprendre la nécessité de la communication entre étudiants et enseignants. Ils parlent, parlent, parlent, un langage châtié tant que tu voudras, avec des mots tirés de l'ionosphère, avec des phrases laiteuses et abstraites comme de l'essence de nébuleuse. Moi qui suis, dans ce contexte, un auditeur sûrement dans la moyenne, j'arrive mal à comprendre, par-ci par-là, de quoi me parlent ces beaux messieurs fins causeurs. De temps en temps, le conférencier en queue de comète me laisse entrevoir qu'il est en train de m'expliquer le grave devoir que j'ai de bien me faire comprendre de mes étudiants quand je leur parle: l'échange, la communication, l'attention à l'autre, c'est sacré! Oui, mais quand ces quatre conférenciers auront fini de me parler de la communication, j'aurai surtout compris une chose: que leur langage intersidéral est une insulte à la langue et aux auditeurs. Je les cote: 1,3 sur 10! Et la pénitence: les obliger à écrire sur la communication un texte compréhensible par du monde.

À côté de ces quatre conférenciers au langage nébuleux, endimanché, fardé, emberlificoté, mes deux gars de la construction m'apparaissent beaucoup plus intéressants, équilibrés et respectueux de la langue.

Ceci dit, il reste vrai que pour parler de biologie, de la relativité, de philosophie, de poésie ou de calcul différentiel, un homme civilisé ne doit pas s'en tenir nécessairement au langage des gars de la construction, de l'école maternelle, de l'épicerie, de Tit Jos Bezeau et de Johnny Farago.

Un étudiant du Cégep de Sept-Îles m'a raconté l'aventure suivante. Un matin de décembre 1982, il se présente à l'Université Laval pour s'inscrire en Droit. Il passe en entrevue, et on lui pose des questions pour évaluer son habileté mentale. À dessein, les examinateurs utilisent dans leurs questions des mots autres que ceux de l'école maternelle: *inepte, cloporte, hémophile,* et d'autres de même niveau. «Si je n'avais pas su la signification de ces mots, j'aurais été incapable de répondre intelligemment aux questions»; et les examinateurs en auraient conclu qu'avant de penser à s'inscrire en Droit, ce candidat devait se donner des moyens d'expression plus évolués que ceux de la maternelle.

Tu ne penses peut-être pas à devenir avocat; mais très souvent tu auras à défendre des causes que tu croiras devoir être défendues; et si tu n'as pas développé ton langage, tu parleras toujours au niveau de la maternelle.

Combien parmi vous ignorent le sens des trois mots soulignés plus haut? Combien se donneront la peine de le chercher? Combien de mots ou d'expressions inconnus rencontrés depuis le début de ce livre as-tu laissé passer, en te contentant d'une compréhension approximative, c'est-à-dire nulle? Et si tu lis toujours avec la même négligence, ça ne te fera ni chaud ni froid d'être inepte.

Ceci, pour dire qu'un étudiant de cégep doit se donner un bagage linguistique un peu plus lourd et complexe qu'une boîte à lunch. Mais ne jamais perdre de vue l'essentiel. Dans toutes les disciplines, dans tous les sujets de conversation, dans tous les écrits, si on ne perdait jamais de vue que la langue a été inventée pour communiquer plus efficacement entre humains, cette lapalissade provoquerait de salutaires révolutions mentales. Dans les universités, les cégeps et les salons, si un chat était toujours un chat, les vaches seraient mieux gardées et le cerveau des humains mieux oxygéné.

CHAPITRE 2

AVANT DE PARLER OU D'ÉCRIRE...

Pour communiquer, il faut un émetteur, un récepteur et un moyen de communication. Quand la communication *ne passe pas,* que le message est confus ou tout bonnement incompréhensible, cela peut dépendre ou bien du moyen de communication, ou bien de l'émetteur, ou bien du récepteur. Pas besoin, ici, d'une longue démonstration. Si l'autre ne te comprend pas, ce n'est pas nécessairement toi qui es coupable; mais si tu ne comprends pas l'autre, ce n'est pas nécessairement l'autre qui est coupable. Tu comprends? Il peut même arriver que ni l'émetteur ni le récepteur ne soient coupables: le téléphone est peut-être en panne, débranché ou gravement avarié.

Supposons donc que le téléphone soit en bon état et que ton interlocuteur dise clairement des choses intelligentes et à ta portée; alors, pourquoi ne comprends-tu pas? Ne blâme pas les dieux ou la société de consommation; interroge ta conscience. Elle te dira, si c'est une bonne conscience, que *le système* n'est pas en cause: c'est toi qui n'as pas appris à écouter (ou à lire, si ton interlocuteur te parle avec des lettres plutôt qu'avec des sons). Es-tu un cas exceptionnel? Sûrement pas; si cela peut te consoler. Ceux qui comprennent ce qu'on leur dit avec des sons ou avec des lettres sont aussi rares que les trèfles à quatre feuilles; la plupart des récepteurs sont des trèfles à deux feuilles. Et ces récepteurs à deux feuilles seront, tu le devines, des émetteurs à deux feuilles.

Supposons maintenant que c'est toi qui *lances* le message. Tu devras alors te comporter comme le bon tireur à l'arc. Il a décidé de placer sa flèche dans le mille; mais il ne suffit pas de vouloir atteindre la cible: pour l'atteindre effectivement, comment procéder? C'est très complexe, mais ramenons à deux les conditions essentielles: la concentration mentale du tireur, et son habileté physique à manier l'arc. Imaginez le résultat si l'intelligence ne joue pas son rôle (si, par exemple, elle ne voit pas l'objectif ou s'en laisse distraire par les mouches, la pluie, le vent, le soleil, ta cousine; ou si elle ne commande pas au corps la position à prendre, les gestes précis à faire pour que l'arc lance la flèche au but); je n'aimerais pas me trouver dans le voisinage de ce tireur étourdi, toi en l'occurence.

Mais, pour continuer avec la même image, et en supposant toujours que c'est toi le tireur, il ne suffira pas que tu contrôles bien ton intelligence et que celle-ci coordonne efficacement tous les gestes de ton corps: il faudra, en plus, que tu disposes d'un arc capable de lancer les flèches que tu veux: si ton arc est un jouet Canadian Tire, capable tout au plus de lancer à peu près des baguettes de plastique et de les lancer tout au plus à 20 mètres, il te sera d'une piètre utilité pour atteindre la cible, là-bas, à 300 mètres.

Maintenant, applique cet exemple au message que ton intelligence veut lancer en se servant de la langue parlée ou écrite comme instrument ou moyen de communication; et il me semble que tu feras des découvertes étonnantes, et surtout très pratiques.

Pythagore (qui est ce Pythagore?), quand il recevait un nouveau disciple, l'obligeait à rester muet pendant cinq ans: s'il apprenait à écouter, il saurait peut-être un jour parler; et s'il ne pouvait apprendre à se la fermer pour écouter (lui-même et les autres), il ne saurait jamais, tu le devines encore, parler utilement à soi-même et aux autres.

Quelqu'un parle dix minutes devant un auditoire de deux cents personnes. Le sujet semble passionnant: les auditeurs écoutent bouche bée. Oui, mais quand cet orateur intelligent aura fini de parler, demande-leur donc ce qu'ils ont compris. Si par hasard tu as toi-même compris, tu seras étonné d'apprendre ce que la plupart ont compris. Bref, c'est un vice communément répandu de faire dire n'importe quoi à n'importe qui; parce qu'on l'a écouté n'importe comment.

Écris un texte sensé de dix pages, fais-le lire à dix personnes, et demande-leur ce qu'elles ont compris. Et tu viendras me dire ce qu'elles t'ont fait dire.

Au début d'une session, je demande parfois à un étudiant de lire à haute voix un paragraphe simple tiré d'un texte à l'étude. Quand il a fini de lire, j'invite tous les étudiants à me regarder droit dans les yeux; après quoi, je prie le lecteur de nous résumer ce qu'il vient de lire. Il n'en sait pratiquement rien; et pendant qu'il bafouille, tous les autres cherchent à me quitter des yeux pour retourner au texte qui vient d'être lu: manifestement, ils n'ont rien compris eux non plus et cherchent à se rattraper. Pourtant, ils lisaient le texte des yeux en même temps que leur confrère le lisait à haute voix. C'est cela même: le lecteur lisait avec sa voix, et les autres lisaient avec leurs yeux; mais personne ne lisait avec son intelligence. Des yeux, c'est fait pour voir, pas pour comprendre. De même pour les oreilles: elles sont faites pour entendre des sons, pas pour comprendre leur signification. Il n'est pas impertinent de rappeler ici ce que dit un psaume au sujet des idoles de bois ou de pierre: «Elles ont des yeux, et ne voient point; elles ont des oreilles, et n'entendent point; elles ont une bouche, et ne parlent point;» etc. Les humains, eux, ont des yeux qui voient, des oreilles qui entendent, mais le plus souvent leur intelligence ne comprend pas les lettres que leurs yeux voient ou les sons que leurs oreilles entendent; dans ces conditions, quand ils prennent la parole ou le stylo, ils n'arrivent que très rarement à comprendre ce qu'eux-mêmes disent ou écrivent. Faites-en l'expérience tout à l'heure au salon étudiant ou la prochaine fois que vous lirez un de mes paragraphes.

Écouter, comprendre ce qu'on nous dit, ce devrait être une des choses les plus répandues au monde; en réalité, la chose est rare au point qu'elle étonne quand par hasard elle se présente. Au début de sa carrière, l'enfant s'imagine qu'il parle pour dire quelque chose de très important, et il croit que les autres font de même; voilà deux illusions qui normalement devraient disparaître avec l'âge; malheureusement, l'âge n'est pas ici d'une efficacité automatique, loin de là.

Un sourd est fatalement muet. Ce n'est pas parce qu'il est muet qu'il est sourd; c'est parce qu'il est sourd qu'il est muet. Si tous les sourds sont muets, tous les muets ne sont pas nécessairement sourds. Et si tous les sourds volontaires étaient muets, il se produirait un grand silence sur la planète. Mais jongler trop longtemps avec ces idées de sourds et de muets, ça peut te rendre sourd-muet.

Pourtant, il y a du bon dans cette réflexion apparemment farfelue: le bon, c'est que, si tu ne comprends pas, avec les oreilles de ton cerveau, ce qu'on te dit ou écrit, ton cerveau restera muet. Du moins, il devrait rester muet, ne pas parler, ne pas écrire, pour l'excellente raison qu'il n'a rien compris et que, par conséquent, il n'a rien de sensé à dire. Alors, comment expliquer que tant de gens parlent et écrivent, bien qu'ils soient sourds du cerveau? C'est intrigant; c'est même inquiétant, n'est-ce pas?

L'explication, c'est que l'homme jouit d'une étonnante liberté: il est le seul à pouvoir comprendre, raisonner; il est aussi le seul à pouvoir déraisonner. Quand tu dis d'un chien qu'il est *fou braque,* c'est par un abus du langage: le chien ne peut pas être fou; si tu le traites de fou, c'est parce que tu penses à quelqu'un de fou que tu connais bien. Un chien ne peut pas dérailler, détraquer, *capoter*; pas plus qu'un sapin ou une carotte: la nature les garde enchaînés à leur instinct. L'instinct de la carotte l'oblige, par exemple, à pousser sa racine vers le bas et ses fanes vers le haut: jamais vit-on carotte pousser ses racines en direction de la Grande Ourse. L'homme, lui, peut, à son gré, raisonner intelligemment ou raisonner comme les trois étudiants que je vous présenterai bientôt. Autrement dit, l'homme peut faire le fou, parce qu'il est intelligent. Parfois, il fait le fou de façon très intelligente, très consciente: Molière, Chaplin, Sol. Parfois, il fait le fou de façon idiote, inconsciente; alors, il n'est plus guidé par la raison, et comme il n'a pas cet instinct que la nature a donné aux plantes et aux animaux, il devient vraiment *fou braque* et flotte en pleine absurdité. Il devrait alors se faire carotte, pour au moins conserver le bon sens de la carotte qui porte sa tête en haut.

«Il ne parlait pas beaucoup, on le croyait donc un peu bête. En fait, c'est parce qu'il était très intelligent, et écoutait beaucoup.» (*Le petit Poucet*).

CHAPITRE 3

PARLER, OUI; MAIS QUELLE LANGUE?

Tout le monde veut parler; tout le monde aimerait bien pouvoir écrire convenablement. Vous avez déjà vu un bébé s'essayant à parler? Il fait des efforts surhumains; il y met le même acharnement qu'il met à marcher, à saisir tout ce qui est à sa portée. S'il gardait cette avidité, à vingt ans il parlerait et écrirait de façon étonnante; mieux, en tout cas, que la majorité des diplômés.

Le langage n'a donc pas été inventé par des criminels dans l'intention perverse de torturer les esprits. Ce n'est pas non plus une invention d'une utilité secondaire, comme le cure-dents, la brouette, la bavette ou la cravate. Tout humain jouissant de sa raison est reconnaissant envers ses ancêtres de lui avoir préparé et transmis ce moyen d'expression; ainsi chacun de nous est dispensé d'avoir à s'inventer de toutes pièces un langage. Sans cet héritage, j'aurais un mal de chien à faire comprendre même des simplicités comme *Quelle vie de chien! Il fait soleil. Elle fait dur.*

Avant de pester contre les difficultés de la langue, il serait bon de travailler, pendant un an ou deux, à faire une découverte linguistique très simple; par exemple, que pourrait-on inventer pour remplacer les personnes, les modes et les temps? Quand on aurait trouvé une formule de rechange, consacrer cinq ans de sa vie à faire accepter ses trouvailles géniales par ses contemporains et la postérité. Gageons qu'après sept ans d'efforts acharnés, nous en arriverions à cette conclusion très simple et stupéfiante: nos ancêtres n'étaient pas des imbéciles! Avec un peu de bon sens, nous aurions pu l'admettre plus tôt et les féliciter d'avoir créé pour nous au cours des siècles un outil de communication encore plus génial que les jambes et la main.

Tout le monde est d'accord là-dessus? Alors, passons. Là où commencent les divergences et les réticences, c'est sur le degré de maîtrise de la langue qui est nécessaire pour s'exprimer. Au sortir de l'école secondaire, beaucoup croient qu'ils maîtrisent bien leur langue maternelle: désormais, ils se croient dispensés d'apprendre à parler et à écrire. Certains même s'en croient dispensés dès l'école primaire. Cette conviction, cela va sans dire mais je le dis quand même, se retrouve surtout chez ceux qui parlent mal et écrivent encore plus mal. Pour justifier leur ignorance, ils se transforment en ignorants militants, et proclament en tous lieux et sur tous les tons: «*Moé, je m'comprends, ça suffit. Et quand j'parle avec mes chums, y m'comprennent eux autres itou; pis moé j'les comprends. Nous autres on veut pas parler en tarmes, pis on veut pas écrire des livres.*»

La grammaire, le dictionnaire, les livres, les cours de français du cégep, tout cela leur apparaît inutile et par conséquent ennuyeux et assommant. «L'orthographe et la ponctuation, quelles farces! Même les singes ne font pas tant de simagrées; et ils n'en sont pas plus malheureux!»

Et c'est vrai: les singes semblent très heureux; autant du moins que les poules et les morues; et ils se sont toujours dispensés de la grammaire, du dictionnaire et de la ponctuation; il est même probable qu'ils s'en dispenseront éternellement.

Cette concession faite aux militants de l'ignorance, le débat n'est pas clos. Car il reste à éclaircir une question très importante: l'homme est-il un singe? Si oui, mettons fin au débat, et que chacun retourne à ses glorieuses occupations de singe. Mais si l'homme n'est pas un singe, oh! alors, ça change tout; et il y a sans doute lieu de se demander si l'homme doit essayer de parler et d'écrire autrement qu'un singe. Pour ma part, j'en suis arrivé à cette sereine conviction, et en conséquence je mets et j'exige encore les points sur les i, j'exige encore qu'on distingue dans l'écriture le *ces*, le *ses*, le *c'est*, le *s'est* et le *sait*.

«Chinoiseries que tout cela!», me dit-on souvent. Et je réponds à peu près ceci: bien sûr, ce sont des chinoiseries, puisque le Chinois n'est pas un singe! Et si le Chinois n'est pas un singe, pourquoi le Québécois en serait-il un? Et si la langue chinoise est extrêmement subtile et complexe — comme d'ailleurs toutes les langues —, pourquoi la langue du Québécois devrait-elle être aussi simple (simpliste) qu'un marteau ou un poteau de corde à linge? L'étudiant chinois ou japonais doit maîtriser environ 15 000 caractères pour arriver à s'exprimer convenablement; est-ce trop demander à l'étudiant québécois d'avoir 3 000 mots à sa disposition? Mais actuellement, exiger des étudiants de cégeps qu'ils sachent 3 000 mots apparaîtrait une exigence criminelle; la moitié d'entre eux considèrent comme tout un exploit de pouvoir conjuguer le verbe *être* au futur antérieur; quant au subjonctif imparfait de ce verbe...«*C'est pt'être queq' part dansagrammaire, mais où don?*» D'ailleurs, où estagrammaire? Pas moyen d'sawère!

Pourquoi parler français?

Si toutes les langues, à l'image même de l'esprit humain, sont extrêmement nuancées, difficiles à maîtriser et en constante évolution, pourquoi accorder tellement d'importance à une seule langue, pour nous, le français? Au lieu de nous acharner à maîtriser le seul français, ne vaudrait-il pas mieux nous faire bilingues? Pourquoi investir tellement d'énergie dans l'apprentissage d'une langue qui n'est pas supérieure aux autres?

Et c'est vrai que la langue française n'est pas supérieure à l'anglais, à l'espagnol, au montagnais ou à l'inuit. Pas plus qu'un Anglais ou un Français ne sont supérieurs à un Espagnol, à un Inuit ou à un Montagnais. Si demain les Inuits, ou les Montagnais, ou les Aztèques avaient une puissance économique et politique égale à celle des Russes ou des Américains, les langues inuit, montagnaise ou aztèque deviendraient aussi importantes que l'anglais, le français et le russe; et il se trouverait bien des gens pour dire que les langues inuit ou aztèque sont des langues supérieures.

Alors, pourquoi tenir tellement au français? Pour deux raisons très simples.

1. Parce que je n'ai pas le temps d'apprendre toutes les langues. Apprendre convenablement ma seule langue maternelle, c'est l'affaire de toute ma vie. Même si j'apprends d'autres langues, je dois rester conscient que je les connaîtrai toujours de façon fort imparfaite. Seuls les bilingues ou les polyglottes de bas niveau s'imaginent qu'ils sont *de parfaits bilingues* ou polyglottes. Ces *parfaits bilingues* sont le plus souvent des esprits superficiels qui s'imaginent supérieurs, sous prétexte qu'ils baragouinent deux langues. Ils parlent deux langues en même temps, c'est-à-dire qu'ils n'en parlent aucune convenablement. Il suffit de les écouter parler et de lire ce qu'ils écrivent. Il suffit, à la condition de savoir soi-même ce que parler et écrire veulent dire. Si on ne le sait pas trop, on admirera le baragouineur bilingue et on lui prêtera gratuitement une supériorité. D'ailleurs, le résultat le plus important d'un apprentissage sérieux d'une langue étrangère, c'est de nous amener à mieux maîtriser notre langue maternelle, à mieux saisir ses mécanismes, ses particularités, son originalité. Un peu comme les voyages à l'étranger ont normalement pour

premier résultat de me donner un goût plus vif pour mon village, mon pays et mon jardin. Quand nous irons visiter Pluton et les espaces intersidéraux, j'imagine que nous serons bien contents de revenir sur la petite planète Terre et de caresser les petites amarantes qui poussent au pied de notre petit cormier.

2. Parce qu'il se trouve que le français est ma langue maternelle. Comme il se trouve que je suis un Québécois, et non un Cambodgien, un Éthiopien ou un Mexicain. Comme il se trouve que je suis né au XXe siècle, et non au temps des pharaons. Idéalement, dans l'abstrait, je n'ai pas besoin de parler français: je pourrais tout aussi bien parler anglais ou russe; mais vivant à Sept-Îles, au XXe siècle, j'ai besoin du français, **pour pouvoir parler**. Sinon, je serai muet. Et pour dire tout ce que j'aimerais dire, il me faut une langue évoluée comme un violon ou un piano. Et je dois l'apprendre, comme on apprend le violon et le piano.

La raison la plus solide pour moi, Québécois, de tenir à ma langue, c'est tout simplement **parce que c'est ma langue**. J'y tiens pour cette raison toute simple et très solide; exactement comme je tiens à mon nez et à ma main, pour cette seule raison idiote et sublime que c'est **mon** nez et **ma** main. De même pour sa mère: on l'aime et on la respecte, parce que c'est **sa** mère. Une personne équilibrée ne voudrait pour rien au monde changer de main ou de nez, sous prétexte que d'autres ont des nez extraordinaires et des mains géniales. Pour une personne en bonne santé mentale, son nez et ses mains sont les plus extraordinaires et les plus géniaux. Chacun y tient comme à son nombril. Forcément, pour chacun de nous, notre nombril est le centre du monde; si nous ne faisons pas de notre nombril le centre du monde, nous éclaterons sous la pression des forces centrifuges, et nous deviendrons particules insignifiantes dans le chaos informe. Nous deviendrons de grands **on**; et vous savez maintenant ce que cela veut dire, être un **on**.

Les cinq millions de Québécois n'ont donc pas à se justifier de tenir à leur langue sur un continent où deux cent cinquante millions de personnes parlent l'anglais. Pas plus qu'ils n'ont à se justifier d'avoir deux pieds et une tête. Pas plus que je n'ai à me justifier de vivre à Sept-Îles plutôt qu'à Miami ou à Montréal. À ceux qui nous demandent: «Pourquoi vous entêter à parler français au milieu d'un océan anglophone?», la seule réponse sensée, définitive, exhaustive, c'est de dire: «Je tiens à ma langue comme vous tenez à la vôtre; je tiens à mes jambes, à mon nez et à mon nombril, comme vous tenez à vos jambes, à votre nez et à votre nombril. Si je change mes jambes, mon nez et mon nombril pour les vôtres, je n'aurai plus ni jambes, ni nez, ni nombril. Je serai devenu vous; ce sera une catastrophe, et je n'y tiens pas plus que vous ne tenez à devenir moi. Je ne tiens pas plus à me faire digérer pour augmenter votre poids que vous ne tenez à ce que je vous digère pour augmenter le mien. Un Québécois n'a pas plus de raison de vouloir adopter le langage des Anglais qu'un phoque n'a de raison de vouloir siffler comme un merle. Vous avez toutes les raisons du monde de vouloir rester vous-mêmes; j'ai toutes les raisons du monde de vouloir rester moi-même. Restons-en là. Soyez un peuple distinct, nous serons un peuple distinct. C'est tellement plus intéressant qu'un *melting pot* où tout le monde ressemblerait à tout le monde. Si tous les hommes étaient allemands, ou chinois, ou américains, l'humanité serait aussi plate qu'une faune où tous les animaux seraient des éléphants, qu'une flore où toutes les fleurs auraient été digérées par les pissenlits. Cet idéal de l'uniformité plate hante tous les totalitarismes de droite ou de gauche: les Américains rêvent de délaver toute l'humanité au Coca-Cola américain, et l'empire soviétique rêve de parquer tous les peuples derrière les barbelés du marxisme-léninisme-stalinisme-castrisme- ...isme.

Reste à savoir ce que chaque individu, chaque peuple feront de leur langue et de leur culture. Si je tiens à ma langue comme je tiens à mes jambes, à mon esprit et à mon âme, il s'ensuit que j'en prendrai soin, encore plus qu'un bon skieur prend soin de son équipement. Un charpentier médiocre *bousille* ses outils; il commence à les respecter du jour où il décide de n'être plus un charpentier médiocre. Un étudiant a, lui aussi, le choix entre le bousillage et la qualité: il choisira sa qualité de langue en fonction de sa qualité d'esprit. Un esprit médiocre est satisfait de s'exprimer médiocrement; un esprit exigeant se donne un langage tendant à l'excellence. Regardez autour de vous; voyez si c'est vrai. Puis rentrez en vous-même, et dites ce que vous y voyez.

Si vous constatez que votre langue parlée et écrite est fort déficiente quand vous voulez exprimer autre chose que les banalités de la vie courante, vous aurez le choix entre deux solutions. La première, c'est de rendre tout le monde responsable de vos déficiences: la famille, la société, l'école. Et vous en resterez là, bien au chaud dans vos excuses et votre paresse. L'autre solution, c'est de vous dire que si, dans le passé, la famille, la société et l'école vous ont défavorisés, maintenant il dépend de vous, uniquement, de prendre les moyens de ne pas rester où vous en êtes. Vous avez tous les outils nécessaires pour vous donner une langue de qualité (par exemple, les livres de la bibliothèque). Finies, les excuses dictées par la paresse! Ta langue sera ce que tu auras décidé de la faire. Il fut un temps où presque toutes les énergies des Québécois étaient consacrées à *gagner sa vie* sur la terre ou en forêt; nous n'en sommes plus là: tu as tout le loisir et les moyens nécessaires pour *bûcher* ta langue, labourer et ensemencer ton esprit, de façon à récolter autre chose que des patates *pourrites*.

Est-ce facile? Certainement pas. Des déficiences linguistiques ne se corrigent pas comme on lave une chemise sale. La langue est reliée au cerveau; si elle est engourdie, c'est parce que le cerveau est engourdi. Et pour dégeler le cerveau, il faut autre chose que les remèdes miraculeux de la publicité et des exercices de yoga. Je l'ai dit, je le redirai, parce qu'il faut le dire et redire.

Que, de propos délibéré, l'un d'entre nous, selon toute apparence sain d'esprit, abandonne le français pour l'anglais, c'est son droit: ce genre de suicide ne tombe sous le coup de la loi. Il se peut que celui-là fasse ses délices des vers de Keats. Mais, en général, il ne s'agit là que d'une option en vue du gain ou de l'avancement. Combien de gens ont pris du corps après avoir vendu leur âme! Car une langue, ce n'est pas seulement un vocabulaire et une syntaxe; c'est aussi une manière de penser et de sentir, une manière d'être: ta langue, c'est ton âme.

Tout ministre, tout homme de profession libérale, même tout étudiant qui parle et écrit incorrectement sa langue, l'a déjà abandonnée. Garder sa langue, c'est l'apprendre; et observer les règles de la grammaire et de la diction est un minimum...

Pierre Baillargeon, *Le choix*.

CHAPITRE 4

PARLER, OUI; MAIS POURQUOI ÉCRIRE?

Personne ne conteste l'utilité de la parole. On l'utilise peut-être n'importe comment, pour dire n'importe quoi; on ne sent peut-être pas le besoin de l'améliorer, mais enfin, on est bien content de pouvoir parler.

L'écriture, c'est autre chose. Pour beaucoup, c'est une bête, grosse et noire, noire comme de l'encre. D'ailleurs, pourquoi écrire encore, quand il y a tellement de moyens de rechange: téléphone, secrétaire, ordinateur et la panoplie fabuleuse des gadgets audio-visuels déjà disponibles et destinés à se perfectionner sans fin? L'écriture, un moyen de communication archaïque comme la charrette à boeufs! Un truc poussiéreux à l'usage des scribes et mandarins déphasés! L'alphabet est mort, vive l'électronique!

Eh oui! au moment où l'on fabrique des bébés en éprouvette, pourquoi donc se donner encore la peine de faire l'amour?

Que les hommes avant nous aient écrit, tant mieux pour l'humanité, pour eux et pour nous! Mais nous, fils de l'électronique, quel besoin avons-nous de nous exprimer de cette façon primitive? Ce que je ne dirai pas par l'écriture, je le dirai autrement, aussi bien et peut-être mieux.

Est-ce aussi certain que tu voudrais bien le croire?

La communication électronique est là pour rester, autant qu'on puisse le prévoir. Mais rendra-t-elle inutile, encombrante, la communication par l'écriture? L'automobile, l'avion, la navette spatiale ont-ils rendu inutile, encombrante, la bonne vieille communication au moyen de ses propres jambes? L'astronaute, après avoir marché dans le vide des espaces infinis, n'est-il pas bien heureux de quitter l'orbite pour revenir fouler l'herbe avec ses deux pieds archaïques? Le plaisir de voler a-t-il éliminé le plaisir de marcher? Le téléphone ferait-il preuve d'intelligence en se moquant du stylo? Pour le croire, il faudrait raisonner comme un téléphone résonne. Marshall McLuhan, un prophète pistonné à l'électronique, a écrit, ces dernières années, de gros bouquins fumeux pour faire la preuve que le livre était devenu inutile; tentative pour le moins absurde. Quand l'Assemblée nationale du Québec, en décembre 1982, a voté un décret tenant lieu de convention collective pour les syndicats, ce décret contenait quelque 70 000 pages de textes des différentes conventions. Ce n'est donc pas demain, semble-t-il, que les syndicats renonceront à l'écriture. IBM, non plus, ni l'Unesco, ni Datsun ou Provigo. L'écrivain n'est pas le seul homme préhistorique de notre civilisation électrifiée.

Donc, quoi qu'en disent les futurologues en orbite, il est probable que vous, moi et la société dans laquelle nous vivons et allons vivre, nous utiliserons l'écriture. Vaudrait donc mieux apprendre à écrire, au lieu de nous laisser écrire par tous ceux qui chercheront, pour encore longtemps, à nous écrire à leur profit.

J'insiste ici tout particulièrement sur un aspect de cette utilité de l'écriture. En tant qu'étudiant, il te concerne au premier degré. C'est que l'écriture est un moyen privilégié pour développer la pensée. On peut penser et parler intelligemment sans savoir écrire; j'en donnerai plus loin quelque preuve. Je n'ai donc pas l'intention de présenter l'écriture comme le seul remède à la confusion mentale. Ceci dit, il n'est pas inutile de signaler en quoi l'écriture peut servir puissamment à développer l'intelligence.

La preuve la plus simple et solide me semble être celle-ci: l'écriture t'oblige à une maîtrise de ta pensée dont tu te dispenses volontiers aussi longtemps que tu n'es pas obligé de mettre ta pensée par écrit. Fais appel à ton expérience déjà longue: combien de fois t'est-t-il arrivé d'avoir l'impression de comprendre ce qu'on t'avait enseigné, jusqu'au moment où on te demande d'écrire ce que tu as compris? Cruelle minute de vérité! Tu avais l'impression que c'était clair dans ta tête, et tu te rends compte, avec stupeur, que c'était clair à peu près comme la face non éclairée de la lune. Tu nages dans la brume, dans la confusion; ce que tu mets sur le papier a la limpidité du goudron. Le fait d'écrire t'a révélé, de façon éblouissante, que tu n'avais à peu près rien compris. Vrai ou faux? Si tu me dis que c'est faux, je ne donne pas cher de ta lucidité.

Évidemment, ce miroir de l'écriture, on peut toujours le faire mentir, comme Marie-Louise peut faire mentir tous les miroirs, mais il reste que ce miroir peut être d'une grande utilité: nous renvoyant l'image toute barbouillée de notre pensée, il nous incite, si nous sommes lucides et honnêtes, à nous débarbouiller la pensée. Nous retournons à ce que nous croyions avoir compris et, cette fois, nous faisons l'effort de mieux comprendre. Et mieux comprendre, est-ce plus utile pour développer son intelligence que le fait de comprendre à peu près ou pas du tout? Quand tu penseras avoir bien compris un problème de biologie, de physique, de philosophie ou de n'importe quoi, écris une page sur le sujet, et tu m'en donneras des nouvelles. Cet exercice, répété, te rendra beaucoup plus vigilant et exigeant; autrement dit, il te rendra plus intelligent. Est-ce trop exiger de toimême?

Et ce qui est vrai des choses qu'on t'enseigne l'est doublement des choses personnelles que tu aimerais exprimer. Tu n'es pas obligé de mettre par écrit ce que tu penses de la vie, de ta vie, de l'homme et de la société; personne ne t'oblige à coucher sur papier tes peines, tes joies, tes amours; mais parfois tu aimerais bien pouvoir le faire. Ne dis pas non: tu sais que tu mentirais.

Mais quel effort (effort qui est aussi un grand plaisir) tu devras faire pour que ton écriture ne trahisse pas trop le sujet dont tu parles! Aussi longtemps que tu te contentes de contempler ton amour sous la forme imprécise d'une montagne de margarine, tout va bien; et comme tout bon paresseux, tu te dis que ce serait bien facile de bien parler de ton amour. Mais si, au lieu des formes molles d'une montagne de margarine, tu décides de donner à ton amour les formes fermes et précises d'une statue de pierre, oh alors! il te faudra longuement jouer du marteau et du ciseau.

Mais est-ce important de transformer ton amour en statue, au lieu de le laisser à l'état flasque d'une montagne de margarine? À toi de répondre. Chose certaine, celui ou celle à qui tu offriras ton amour préférerait recevoir une Vénus de Milo ou un David de Michel-Ange, plutôt qu'une montagne fondante de margarine. Si tu ne me crois pas, qu'est-ce qui t'empêche d'en faire l'expérience, aujourd'hui ou demain? Et ce qui est vrai de ton amour, est vrai de tout ce que tu portes en toi à l'état de chaos, et que tu aimerais bien pouvoir transformer en hirondelle, en truite, en jonquille ou en princesse de Manowin.

Au lieu de te dire avec les mots, tu peux te dire avec la musique, la danse, la peinture, le cinéma ou quelque autre forme d'art. Mais toutes ces formes d'expression sont aussi exigeantes que l'écriture, et ceux qui les ont pratiquées avec éloquence pouvaient écrire avec brio. Pour t'en convaincre, il suffirait d'aller à la bibliothèque et de lire les écrits des grands artistes: il y en a par centaines, et de la meilleure qualité. L'étonnant, en effet, serait que Vinci, Delacroix, Michel-Ange ou Wagner écrivent comme des manchots. En lisant les écrits d'Einstein, tu verras aussi qu'un homme de science intelligent incapable de s'exprimer par écrit, ça ne s'est jamais vu.

Ce qui précède laisse entendre assez que je partage la méfiance du peuple à l'égard de certains nationalistes et, en général, envers ceux qui mettent la passion à plus haut prix que la raison. Je dois dire cependant que j'ai gardé un bon souvenir d'Henri Bourassa, dont la plupart se réclament.

Ce souvenir date de ma rhétorique. Un jour, la classe, éprise de politique, alla demander à Bourassa des directives, un oracle. Nous aimons qu'on nous dise ce qu'il faut penser, ce qu'il faut dire, ce qu'il faut faire. Moi, cette fois-là, j'avais préféré rester au collège. Mais je le regrettai beaucoup quand, à leur retour, mes condisciples me dirent leur déception, qui fit monter dans mon estime le grand homme. Tout bonnement et sensément, il leur avait conseillé d'apprendre la grammaire!

Pierre Baillargeon, *Le choix*.

CHAPITRE 5

LANGUE ET PENSÉE

C'est clair dans ma tête, mais chus pas capabe de l'dire est un slogan creux que se donnent les paresseux inconscients ou les inconscients paresseux. Si on pense creux ou de travers, on s'exprime creux ou de travers; et vice versa. Voilà.

Une langue embrouillée est le signe d'une pensée emboucanée. Telle langue, telle pensée; telle pensée, telle langue.

La langue n'est pas la pensée, mais elle s'y rattache organiquement; en sens inverse, la qualité de la langue influence la qualité de la pensée. Tu peux avoir un sens musical très raffiné, sans avoir pour autant développé la technique d'un instrument de musique; et il peut même arriver qu'un virtuose du piano ait un sens musical fort limité. Mais ce sont là des exceptions, très rares: normalement, sens musical et technique musicale se nourrissent mutuellement, se développent simultanément. Un grand penseur dont la parole est creuse et débile, ça ne s'est jamais vu; pas plus qu'une parole belle et pleine, qui serait produite par un esprit débile et creux. L'homme dont la pensée est riche se donne nécessairement une langue de même qualité.

Cela se voit à l'évidence chez ceux qui n'ont pas eu l'occasion de développer (ou de déformer) leur langue dans les écoles. Ce marin, cet ouvrier, ce bûcheron a très peu fréquenté l'école ou les livres; son vocabulaire est forcément limité; il serait bien en peine de te dire s'il parle à l'indicatif ou au subjonctif, si telle de ses subordonnées est consécutive ou concessive (et en cela, il ressemble à la plupart des étudiants de nos cégeps). Mais s'il vit intensément et pense intelligemment, sa langue en portera la marque. Avec un matériau linguistique relativement simple, il créera une langue vivante, colorée, expressive.

Par contre, un universitaire déficient dans l'ordre de la vie et de la pensée, utilisera une langue plus élaborée, plus *riche* peut-être, pour dire des banalités enfarinées, informes, insipides, sans couleur, sans expression, sans vie.

L'esprit de l'un est une source; il pense de source, et parlera de source. Son débit d'eau claire se fraiera un passage parmi les obstacles linguistiques; et dans l'eau claire de ses ruisseaux en marche vers la mer, les truites pourront s'ébattre à loisir.

L'esprit de l'autre est plutôt marécageux; son esprit stagne, et sa parole sera stagnante. Dans ces eaux troubles, fades et visqueuses, seules les barbottes et les carpes vaseuses échappent à l'asphyxie. Diplômées ou pas, sa pensée et sa parole porteront la marque de la stérilité ou de la fioriture creuse.

Mais bien parler, bien écrire, est-ce éviter *les fautes de français*? On le pense généralement; mais est-ce vrai? Celui qui évite *les fautes de français*, entendues au sens vulgaire, fait-il la preuve qu'il parle bien, qu'il écrit bien et surtout qu'il pense bien? Évidemment non. Et ici nous touchons au coeur du problème. Bien parler, bien écrire, ce n'est pas d'abord éviter les fautes de ponctuation, d'orthographe et de grammaire, ce à quoi on réduit paresseusement les qualités de la langue. Or, ce sont là des qualités mineures bien insuffisantes, si on se rappelle que la langue n'a pas été inventée pour pratiquer la grammaire ou l'orthographe, mais pour communiquer la pensée. Les fautes majeures contre la langue, c'est

- ou dire clairement des choses insensées,
- ou dire confusément des choses sensées,
- ou dire confusément des choses insensées.

En sorte qu'évaluer les qualités de la langue sans d'abord évaluer la qualité de la pensée, c'est évaluer un cheval en se limitant aux qualités de son poil ou de sa bride. Ce que font un trop grand nombre d'enseignants ou d'autres, qui croient avoir bien servi la langue quand ils ont signalé à l'étudiant ce qu'ils appellent des *fautes de français*. Comme si l'injure majeure à une langue n'était pas précisément de bousiller l'expression de la pensée!

Les affirmations qui précèdent sembleront exagérées à bon nombre de lecteurs. Ils ne sont pas du tout convaincus que leur langue et leur pensée sont au même niveau. Ils admettent peut-être que leur langue parlée ou écrite est pauvre, mais n'admettent pas que la cause en soit la pauvreté de leur cerveau (ou cervelle, pour faire plaisir aux féministes agressives). Je dois donc être plus explicite, avec preuves à l'appui. Voici donc. Je donnerai quelques exemples saisissants d'une pensée confuse s'exprimant par une langue confuse.

Le premier est tiré d'une copie d'étudiant de cégep en parfaite santé. La question à laquelle il devait répondre était: «Expliquer ce sourire illogique»; elle portait sur le texte suivant de Saint-Exupéry: «C'est ici que l'homme apparaît. C'est ici qu'il échappe aux prévisions de la logique: le sergent souriait!»

Si on avait lu et compris le contexte, la pensée de Saint-Exupéry devenait claire comme de l'eau de source en montagne. Voici cette pensée: ce sergent sait que, dans quelques minutes, il va monter à l'assaut, avec une chance sur mille d'en sortir vivant; alors, comment expliquer qu'il sourie? Parce qu'il est rempli d'une joie intérieure. Elle lui est donnée par cette conviction qu'il a enfin trouvé ce qu'instinctivement il recherchait: la fraternité entre hommes engagés corps et âme dans une entreprise commune difficile. Saint-Exupéry l'avait expliqué de multiples façons dans les pages précédentes, en particulier dans ce passage: «Si cette religion, si cette culture, si cette échelle de valeurs, si cette forme d'activité et non telles autres, favorisent dans l'homme cette plénitude, délivrent en lui un grand seigneur qui s'ignorait, c'est que cette échelle de valeurs, cette culture, cette forme d'activité, sont la vérité de l'homme. La logique? Qu'elle se débrouille pour rendre compte de la vie.» Ma question n'avait donc rien d'un guet-apens, d'un jeu de hasard, du mystère creux dont s'entoure un horoscope. Ce n'était pas une *colle* comme le *boatwel* d'Yvon Deschamps (un *boatwel*, c'est un bateau à voile, espèce de cave!). Et voici la réponse confuse tirée de la pensée non moins confuse de cet étudiant en parfaite santé:

> *L'homme pour Saint-Exupéry apparait l'orsque cette homme sourit parce que ce sourire est de nature humaine. Ce sourire est mal parce que ce sourire est ce que l'homme fait pour s'éloigner de l'amour en se sens que ce rire est mal placé.* Il n'est pas le temps de festoyer *comme dit Saint-Exupéry* (Saint-Exupéry n'a jamais dit cela!) *parce qu'il y a trop de chose à faire trop de liens a construire parce que Saint-Exupéry veux faire le lien les gens ne voit pas le sourire de lacheter humaine. Cela ne veut pas dire de ne pas rire mais chaque chose à sa place comme le rire à un temp pour exister. Ce rire est placé lorsque que tu verras le lien si tu sais qui il est.*

Nous avons là un bel échantillon des fautes mineures et majeures qu'on peut faire contre la langue et la pensée. En présence d'une catastrophe mentale d'une telle étendue, par où commencer la guérison? Par l'alphabet? par la grammaire? par le dictionnaire? par l'amputation de la tête? par la psychiatrie? par l'électro-encéphalogramme? par la règle de trois? par la table de multiplication? Dans quel labyrinthe a dû évoluer cet esprit cégépien pour se donner une telle perfection dans l'absurde?

L'étudiant qui m'arrive avec une langue et une pensée rendues à ce point de décomposition, vous voudriez qu'en une session, à raison de trois cours de français par semaine, j'arrive à lui redonner le goût de la santé mentale et le respect de sa langue? J'aurai besoin de tous ces cours pour parvenir, peut-être, à lui faire voir et admettre l'étendue de sa maladie: de là à le guérir de son cancer du cerveau, il y a une marge. Par exemple, comment arriver à le faire rire de façon intelligente? «Ce rire est placé lorsque que tu verras le lien si tu sais qui il est.» Eh oui! Mais son rire à lui, où est-il placé? et où voit-il le lien? Mystère insondable. Un autre mystère, c'est que cet étudiant, sorti de mon cours avec un échec, vous le verrez un jour diplômé de l'université, après être *passé à travers* les cours et les murs du cégep. Par quel miracle aura-t-on réussi à couronner cette incohérence vertigineuse et à faire tenir un diplôme dans cet abîme de bouillie mentale? Il ne saura jamais que la langue a été inventée pour communiquer entre humains; il ne saura jamais qu'une langue embrouillée est le signe d'une pensée emboucanée ou dynamitée. Sera-t-il pour autant malheureux? Certainement pas. Quel malheur pourrait vraiment l'atteindre? «Fait-elle(il) envie ou bien pitié? Je n'ai pas le coeur à le dire», comme dirait Ferrat.

Et cette autre réponse à la même question, donnée par un autre étudiant qui ne semble pas, lui non plus, avoir envie de rire de la Bêtise humaine:

> *Ce sourire illogique, est un sourire qu'une seul personne peux faire voit les autres tanné d'être la même personne fait toujour la même chose faire une ouvrage qui ne donne rien mais laisse des traces négatif, Un sourire dont lui aussi ne connait pas la solution un sourire qui ne conte plus et ne voit pas la difference entre sourrire et pleurer.*

Encore une fois, faut-il en *sourrire* ou en pleurer?

En cette même année de grâce 1982, dans le même examen, à une autre question aussi claire sur un autre texte aussi limpide de Saint-Exupéry, voici la réponse d'un autre étudiant en bonne santé:

> *Il parle du ballet, Parlant de cette danse qui amène les personnes a connaitre du pêché s'en qu'il s'en aper-*

coive, personne ne pourra leur dire parce que il sont tous de la même manière. Ce ballet est une sorte de mauvaise partie de la vie, un moment ou l'erreur sera là et ne pourra pas pardonné.

Commence-t-on à comprendre ce que veut dire *Telle pensée, telle langue*? Que les deux forment un couple fortement uni, pour le meilleur et pour le pire?

Et si, dans un groupe d'étudiants, le tiers des couples sont ainsi unis pour le pire, par des liens à toute épreuve comme ceux qu'on vient d'admirer, vous commencerez à comprendre que les malheurs qui guettent l'humanité, ce n'est pas surtout la pollution, l'inflation et la bombe atomique.

Cette année 1982 est-elle exceptionnelle dans les annales du Québec? Oh! non! C'est une année moyenne. Quelle moyenne!

Vous trouvez que j'insiste un peu fort? Que je me montre trop sévère? Si je donne 1 point sur 10 pour de telles réponses, vous trouvez que j'exagère? C'est vrai: je devrais donner -10.

Et ces réponses se trouvent dans le huitième travail de l'étudiant, en fin de session. Les sept autres travaux ont été corrigés en classe; chaque fois, j'ai signalé toutes les fautes; j'ai donné tout le temps nécessaire aux étudiants pour faire les corrections; je leur ai offert mon aide en dehors des cours; chaque fois, j'ai insisté surtout sur le fait qu'ils devaient comprendre la pensée de l'auteur et exprimer la leur dans une langue compréhensible. Et vous voyez les résultats! Par les temps qui courent, si tu mets l'accent sur la clarté de la pensée et de la langue, tu passes pour un criminel. Les esprits en compote iront répétant en ville et dans le cégep que Beaupré est un professeur terriblement exigeant. Et ceux qui gueuleront le plus seront évidemment ceux qui pensent et écrivent comme les trois loustics cités plus haut.

Voilà des années que nous signalons l'ampleur de cette pollution mentale. Voilà des années que nous essayons de faire comprendre aux administrateurs locaux et au ministère de l'Éducation que les étudiants faibles en langue maternelle ont besoin d'un régime tout particulier. Nous avons demandé à maintes reprises qu'un ou deux des quatre cours complémentaires soient remplacés par des cours de langue maternelle, pour ceux qui en ont besoin. Peine perdue! On nous répond bêtement que tous les étudiants ont droit à ces quatre cours complémentaires, *pour élargir leur culture*. Impossible de faire comprendre que la première culture à se donner, c'est de penser comme du monde et de s'exprimer comme du monde dans sa langue maternelle. Des étudiants handicapés comme les trois signalés plus haut iront donc *élargir leur culture* en suivant des cours complémentaires en astronomie, en informatique, en philosophie, en rédaction de déclarations d'impôt, en n'importe quoi, sauf dans l'essentiel. Comme quoi la Bêtise humaine n'est pas le monopole des seuls étudiants.

Et quand on finit par commencer à comprendre la nécessité des remèdes, on suggère des remèdes de charlatans, par exemple des *exercices correctifs* portant sur l'orthographe, la ponctuation, la grammaire. C'est comme se mettre à l'époussetage des meubles, quand le toit est arraché et les fondations en ruine. C'est comme si, pour guérir le cancer des poumons ou du cerveau, on prescrivait des onguents sur les jambes, des compresses de beurre d'arachide sur les fesses. À peu près personne ne prend au sérieux ce conseil que Jules Fournier donnait en 1917: «Vous voulez changer mon langage? Commencez donc par me changer le cerveau!» Changer le cerveau responsable de la qualité du langage, cela exige autre chose que des tisanes, des cataplasmes, des limonades, du sommeil, une bonne nutrition, une bonne conscience, des téléromans, l'accumulation de crédits et un élargissement de la *culture* à vide.

Dernière remarque pertinente. Est-il possible, en dehors des cégeps et des écoles secondaires, de trouver un charabia comparable à celui des trois cégépiens cités plus haut? Oui: dans les hôpitaux psychiatriques et les universités. Mais là uniquement. Ailleurs, là où les gens travaillent en dehors des livres, tu trouves du charabia, mais rarement de façon aussi poussée, sereine et obstinée. Il faut avoir fréquenté les écoles pendant longtemps pour s'être donné une déformation mentale aussi spectaculaire. Le bûcheron, le marin, l'agriculteur, le camionneur, le charpentier et tous les autres qui exercent un métier utile ne peuvent se payer pareille incohérence: les réalités de la vie leur imposent un minimum de bon sens. Il est évident, par exemple, qu'un éboueur, dans l'exercice de son métier, ne peut pas se servir de son intelligence de façon aussi idiote que les trois étudiants en question; parce que la réalité *vidanges* se vengerait et ramènerait l'éboueur au bon sens. Les vidanges resteraient sur place, empesteraient la région, et l'opinion publique exigerait de l'éboueur qu'il répare ses dégâts et son charabia.

De même, les clous, les marteaux, les arbres, les poissons, les planches, les balais, les carottes ne se laissent pas utiliser de façon bête, sans protester, sans résister, d'une façon ou d'une autre; en sorte que l'homme doit apprendre à les utiliser de façon intelligente. Sinon, par exemple, les arbres bûchés lui tomberont sur la tête; ça réveille et ça raplombe; ça fait comprendre rapidement qu'un arbre, ça doit se bûcher de façon intelligente. Ces étudiants, eux, peuvent bousiller les idées et les mots, sans autre sanction que celle des notes. Et les notes, ils s'en moquent: pourvu qu'ils aient leur diplôme! Et ce diplôme, il est plus facile de l'avoir que de faire pousser intelligemment des carottes. Pour les carottes, il n'y a pas de *normalisation* des notes; et la nature est beaucoup plus vigilante et exigeante que le professeur moyen, *normalisé* lui aussi par l'université et les conventions collectives. Il faudrait donc trouver dans les écoles des remèdes aussi efficaces que celui de l'arbre tombant sur la tête; mais alors, on crierait à la persécution, et il y aurait des poursuites au criminel. C'est pourquoi la démence peut s'épanouir en toute liberté dans ces milieux où les dures réalités de la vie ne peuvent jouer leur rôle de gardes-frein et de garde-fous.

Vous ne trouverez pas ce langage désarticulé, cette logorrhée inconsistante chez les gens qui, ayant peu fréquenté l'école, parlent soutenus par leur seul instinct linguistique. Les bornes du bon sens ancestral les empêcheront de divaguer à ce point. Leur syntaxe sera relativement simple, mais par le fait même ne s'enfargera pas dans des constructions abracadabrantes-pédantes. Leurs souliers ne seront peut-être pas bien cirés, mais dans leurs souliers, ils auront de vrais pieds, pas des idées creuses; des pieds entraînés à suivre une direction, des pieds qui ont du sens, le sens du bon sens. Autrement dit, ils ne seront pas des céphalopodes invertébrés.

Mais dans les écoles, tout est permis. Par exemple, cette réponse sur la copie d'un étudiant de Secondaire II. «Où et pourquoi fut élevée la Grande Muraille de Chine? — Entre l'Allemagne du nord et du sud, parce qu'il se battait avec des fusils.» Eh oui! Arrivé au cégep, cet hurluberlu continuera à se battre contre le bon sens, au profit de la berlue.

Une autre forme d'épidémie

Cet étudiant timide, digéré lentement par les racines de l'absurde, est-il destiné à rater sa vie? Pas nécessairement. Il pourra sans doute se rendre à l'université et en sortir bien diplômé. Et alors, il deviendra un spécialiste du langage abscons; il éblouira les aveugles par un langage et une écriture emberlificotés, un tohu-bohu mental tapageur et pédant. Bref, il parlera et écrira comme les quatre éminents conférenciers dont je vous ai parlé. Le gouvernement, les revues, les congrès feront appel à ses services pour traiter savamment de sujets à la mode confuse du jour. Il sera respecté et admiré dans les salons, parce qu'on n'arrivera pas à le comprendre, tout en ayant l'impression flatteuse de le comprendre. Peu à peu, il se fortifiera dans cette conviction que, pour être profond ou du moins passer pour tel, il faut dire les choses de façon que personne n'arrive à suivre.

Avec cet outil précieux, il pourra parler de n'importe quoi: de cinéma, d'économie, de peinture, d'obésité, de féminisme ou d'antiféminisme, de littérature, d'astrologie, de philosophie orientale, d'analphabétisme, de tout, tout, tout. Il s'est forgé une manière de penser, et il s'est donné un outil d'expression tellement insaisissables qu'il peut les appliquer à n'importe quel sujet et le transformer en fumée. D'où sa popularité; car s'il est une chose que l'on admire avant tout dans les salons (d'étudiants ou d'universitaires), c'est l'aptitude à parler de tout pour ne rien dire; ou à parler de platitudes en termes nébuleux et séraphiques.

Vous pensez encore que j'exagère. Voici deux exemples, parmi des milliers. Le premier exemple, c'est celui d'un journaliste de carrière de Sept-Îles (il aurait pu tout aussi bien exercer ses ravages à Rouyn, Gaspé ou Montréal). Son habileté dans la confusion tenait du prodige. S'il nous donnait, par exemple, le compte rendu d'une réunion du Conseil municipal, vous aviez la troublante impression que cela s'était passé quelque part, n'importe où, dans les espaces intersidéraux, sur Sirius peut-être. Les personnages, les questions discutées, les décisions prises échappaient à l'analyse, se dissolvaient dans le chaos originel. Mais vous l'auriez stupéfait en lui déclarant qu'il écrivait de façon criminelle. Ce qu'il disait de cette réunion du Conseil municipal aurait pu, avec des ajustements mineurs, s'appliquer à la culture des bégonias, à la semaine des non-alcooliques anonymes ou à la campagne des Yvettes hémophiles.

L'autre exemple est tiré de *Analphabétisme et alphabétisation au Québec*, écrit par Jean-Paul Hautecoeur et publié par le ministère de l'Éducation. Livre apparemment très sérieux, écrit par un spécialiste hautement diplômé, et sanctionné par la haute autorité du ministère de l'Éducation. Ce n'est donc pas de la petite bière ou de la crotte de poule. Et voici comment s'exprime cet éblouissant fumiste:

> *Contre ce langage de la vérité où la réponse précède la question qui n'en est pas une, contre un tel usage dominant de la pensée opérationnelle où la dépense - comme en économie marchande - n'a d'autre but que le réinvestissement dans la chaîne productive, contre l'affirmation inconditionnelle de l'alphabétisation qui sert à définir l'analphabétisme pour le proscrire et à domestiquer la réalité historique en clichés manipulables, à l'encontre du bon sens dictateur du doit être - à la lettre -, la*

pensée vraiment naïve (car elle aime être ravie) veut librement musiquer *le concept, l'acteur jouer libre dans le palier de la dépense improductive - la connaissance ici comprise comme pratique de renaissance et reconnaissance et non comme production et reproduction d'un avoir-objectif - dans la beauté de son mouvement, l'observateur déchaîner la réalité extérieure comme intérieure et la saisir (une saison qui n'est pas un rapt) dans l'acte des sujets réalisant, le langage se sauver de la clinique des docteurs avec le désir du chant commencé.*

Ce n'est pas un analphabète qui parle de l'analphabétisme; c'est un *alphabète* capable de *musiquer* les mots et les phrases pour les mettre au service d'une *pensée opérationnelle* qui en fera des *remanences ranimales en figures matricielles reconjugables,* comme disait Henri Bélanger, un autre fumiste pédant d'envergure panpancanadienne, celui-là, auteur du livre *Place à l'homme.* Rien à craindre pour ce type d'hommes: leur place est assurée. Henri Bélanger, par exemple, est colonel de la Royal Canadian Army, et on lui a donné une année sabbatique pour écrire un livre destiné à *emboucaner* les Québécois comme des harengs.

Langue et personnalité

La qualité de ta langue révèle non seulement la qualité de ta pensée; elle révèle aussi, avec toutes ses nuances, la qualité de ta personnalité. Plus efficacement que tes empreintes digitales ne révèlent ton identité physique.

Si vous n'avez qu'une heure pour évaluer la personnalité de quelqu'un, contentez-vous de l'écouter parler.

Évidemment, cet exercice d'évaluation suppose chez l'auditeur l'aptitude à juger: on ne demande pas à tous les forgerons de porter un jugement esthétique sur une sonate de Mozart ou un tableau de Vermeer. Mais j'imagine que Napoléon, après avoir écouté un homme lui parler pendant une heure, pouvait dire, sans beaucoup de risque de se tromper, s'il avait affaire à un Murat ou à un quelconque bousilleur. Les diplômes, la généalogie, le rang social, les titres, les apparences? Foutaises! À voir la façon dont un homme manie sa langue maternelle, on voit, noir sur blanc, s'il saura, après un entraînement convenable, tenir une épée, une équipe de hockey, une maison, une vigne, un bordel ou un empire. Si sa langue sonne mou, il serait étrange que son caractère soit de bronze; si ses idées sont mêlées comme un plat de spaghetti, sur quoi fondez-vous l'espoir qu'il pourra éduquer des enfants, construire une fusée, diriger une entreprise commerciale ou une excursion de chasse, planter intelligemment des arbres et des choux, ou répondre **oui** quand la question appelle un **oui**?

Je rapporterai ici un petit dialogue émouvant et instructif. Un grand-père intelligent échange avec son petit-fils, peut-être plus intelligent, de 9 ans.

— Dis-moi ce qui t'intéresse le plus au monde.
— Les animaux.
— Pourquoi?
— Parce qu'ils sont vivants.
— Mais les hommes aussi sont vivants.
— Oui, mais ils parlent...

En effet! Car s'ils parlent, les hommes, alors, très souvent, les choses se gâtent. Elle était si belle, elle paraissait si intelligente et vivante; pourquoi donc s'est-elle mise à parler, mettant ainsi à nu un vide mental à donner la chair de poule? Ce jeune homme était beau comme un dieu et semblait justifier les plus hautes espérances; pourquoi donc n'est-il pas resté muet? Ce professeur, dans son dossier, a de beaux diplômes universitaires; il a fréquenté les écoles et les livres pendant vingt, trente ans; il a noirci des tonnes de papier; pourquoi donc parle-t-il et écrit-il comme il parle et écrit, en vrai tohubohuhurluberlutouboucané? Cet homme d'affaires a très bien réussi, et ses réussites en affaires les ont hissés, lui et sa femme, au sommet de la pyramide sociale; pourquoi faut-il que ces deux-là, quand ils prennent la parole, prennent une spectaculaire débarque jusqu'au bas de la pyramide mentale, perdant ainsi toute leur belle manziboulebredaine? Ce petit commis est habillé comme un mannequin de Sears, son coiffeur lui a modelé une belle tête à la mode du jour qui passe, il est dans l'vent, dans le courant, il a suivi des cours de personnalité et se croit à l'avant-garde du Progrès; écoutez-le parler, et vous m'en donnerez de bien tristes nouvelles.

Sa langue maternelle est le passeport universel du civilisé. C'est elle qui révèle le plus clairement sa véritable identité, son inaliénable personnalité. *Le style, c'est l'homme*. La langue, écrite ou parlée, c'est l'écho de la vie profonde d'un être, de son intelligence, de sa volonté, de sa sensibilité.

La langue écrite, certes, nécessite un apprentissage que tous n'ont pas eu l'occasion de se donner; et si on n'en maîtrise que les rudiments, cet outil admirable devient plutôt un handicap pour exprimer la pensée, tout comme un orchestre symphonique est un encombrant jouet de luxe pour un profane en musique. On comprend donc que même la plupart des lettrés arrivent mal à traduire leur pensée et leur personnalité par l'écriture; encore qu'il ne faille pas excuser trop vite ceux qui, ayant fréquenté les écoles pendant dix, quinze, vingt ans, en sont toujours aux rudiments de la langue écrite.

Mais quand il s'agit de la langue maternelle parlée, que chacun, depuis les tendres mamelles maternelles, pratique à toute heure du jour et de la nuit, si on n'a pas réussi à s'en faire un outil de communication subtil et propre à traduire toute sa pensée, c'est précisément parce que cette pensée n'a rien de subtil et de profond, et que, en conséquence, elle n'a pas senti le besoin impérieux de se donner un outil de communication perfectionné. Les cordes vocales produisent des éclats de gomme balloune, parce que les cordes de l'esprit sont gommées de banalité, anesthésiées d'in-signifiance.

Je ne ferai donc pas confiance à un administrateur qui parle comme ses pieds, à un chirurgien enfargé dans ses phrases, à un chef syndical vaseux, à un ministre au langage gélatineux, à un professeur dont la syntaxe est paraplégique, à un politicien ou à un général d'armée incapable de dire clairement ce qu'il pense à toute une armée ou à tout un peuple. Einstein, de Gaulle et Churchill n'étaient pas des professeurs de langue; mais ils étaient maîtres de leur langue, parce qu'ils étaient maîtres de leur pensée, et qu'ils avaient une pensée. Langue pauvre veut dire, en fait, pensée et personnalité pauvres. Et vice versa. Ni Einstein, ni de Gaulle, ni Churchill n'écrivaient comme des manchots: leur langue écrite ou parlée était de même qualité que leur esprit. Notre Chanchon, lui, penche et écrit comme il parle; et viche vercha.

«Dans la province de Québec, tu es libre de dire tout ce qu'*on* pense.» (Pierre Baillargeon). Autrement dit, un **on**, ça ne pense pas; un **on**, ça pense comme **on** pense, comme tout le monde; et penser comme tout le monde, c'est avoir une pensée de perroquet; et les perroquets ont un verbe plutôt creux du bec: ils peuvent faire de la publicité, engraisser les votes majoritaires ou minoritaires, mais ne leur demandez pas de créer un conte, une chanson, de répondre sensément à des questions sensées, d'improviser quoi que ce soit qui déborde quelque peu les moules vénérés de la majorité silencieuse ou bavarde des perroquets.

Ainsi, un perroquet disciple du grand **on** anonyme et plat s'interdit tout humour; il est sérieux comme un pape de plâtre ou un perroquet empaillé, parce que l'humour est une licence que ne peuvent se permettre la pensée et le langage stéréotypés. Ainsi, les rois et reines d'Angleterre, quand ils parlent en public, sont toujours sérieux, trop sérieux, mal sérieux; parce que, la plupart du temps, ils n'ont rien à dire, sinon des fadaises courtoises ou des généralités sans conséquences. Dans l'Angleterre d'aujourd'hui, les rois et les reines parlent pour sauver la face, parce qu'ils sont une façade. Cette royauté parle creux, parce qu'elle n'a plus rien à dire. Et elle n'a plus rien à dire, parce qu'on lui interdit, très poliment mais très efficacement, de penser. Cette royauté est une façade, respectable tant qu'on voudra, mais tout de même façade de carton peint: la vie de la nation se joue ailleurs; la pensée et la parole vivantes sont ailleurs, chez ceux des Anglais qui ont quelque chose à dire parce qu'ils ont quelque chose à faire et qu'ils sont libres de penser autre chose que ce qu'**on** leur dit de penser. Quand Madame Thatcher parle aux Anglais, sa parole a plus de saveur et de punch que l'insipide limonade royale. Chez nous, un ancien Premier ministre, façade des Simard, du patronat étranger, des colonels de McGill et de Westmount, avait un langage sérieux, trop sérieux, mal sérieux, et qui sonnait creux, parce que le personnage était de tôle et pensait en automate studieux, téléguidé, fardé et bien huilé. S'il s'était permis de penser de façon personnelle, naturelle, spontanée, de rire à la Rabelais ou à la Molière, il aurait volé en éclat, son maquillage de starlette économique lui aurait fondu sur la cravate stantard, et ses cheveux pomponnés au Brylcreem lui seraient tombés dans les souliers.

Bien parler, bien écrire, nous l'avons vu, c'est tout autre chose qu'éviter *les fautes de français*. Ici, je souligne qu'en plus des trois qualités mentionnées en page 6, la langue parlée et écrite devrait être tout naturellement à l'image de celui qui parle ou écrit.

Pourtant, vous aurez un mal infini à faire comprendre ce truisme à une foule de gens, et à une majorité de professeurs. Ils en restent aux apparences, au superficiel, à la tenue vestimentaire du langage. Comme ceux qui confondent le style avec *la belle main d'écriture*. Que la langue soit faite pour transmettre la vie palpitante de l'esprit, ça ne leur vient pas à l'esprit. S'ils écrivent, ils donnent à leurs phrases cette banalité de bon ton, suprême vertu des médiocres. Leur prose aseptisée ressemble aux copies des *bons élèves* sans personnalité qui utilisent par atavisme les moules du langage les plus éculés et stéréotypés.

Le style, c'est-à-dire cette façon personnelle de dire les choses comme on les sent, voilà ce qu'on devrait trouver tout naturellement chez tout être humain. S'il vit, s'il pense, ce ne peut pas être à la façon de tout le monde. S'il parle, s'il écrit comme tout le monde, c'est en réalité qu'il se laisse vivre et penser par tout le monde. Il est une espèce de haut-parleur, propagandiste de la banale vulgarité uniforme.

Être soi-même, voilà un idéal tout simple, tout normal, que chacun devrait défendre comme il défend son nez et ses yeux.

Être comme tout le monde, écrire comme tout le monde, c'est cela qui devrait apparaître contre nature, monstrueux.

Ce qui ne veut pas dire que, pour être personnel, il faille démolir le langage, chercher l'originalité dans le bizarre, le biscornu et l'informe. Un virtuose du ski ou du piano ne s'ingénient pas à démolir leurs skis ou leur piano. Comme disait Pascal, «quand on joue à la paume, c'est une même balle dont joue l'un et l'autre, mais l'un la place mieux.» Voilà un idéal de clarté: mieux placer la balle, ou les mots. C'est autre chose que chercher à paraître profond, en donnant à sa pensée et à son langage les zigzags brumeux d'un labyrinthe vide. «C'est sûrement un gand penseur: on n'arrive pas à le suivre.» Erreur, mon cher: s'il était si profond, il sentirait le besoin d'être clair; il ne chercherait pas à donner le change en se barbouillant d'obscurité. Ceci, à l'intention de ceux qui essaient d'atteindre à l'originalité, à la personnalité et à la profondeur, par les voies emboucanées de l'incohérence et du langage tarabiscoté.

En réalité, tout le monde naît très vieux, avec une pensée banale, stéréotypée, bourrée de clichés, uniforme, formée et déformée aux moules millénaires du conformisme: un style de notaire! C'est pratique, mais tout de même plat comme un madrier.

Tout le monde commence par suivre les vieux instincts de l'espèce qui mènent aux lieux communs aseptisés de la pensée. C'est par un effort presque désespéré que quelques-uns réussiront à s'échapper de la pensée à la chaîne, à s'écarter des sentiers battus, bornés de proverbes proverbialement creux (*Quand on veut, on peut. Le temps, c'est de l'argent. Deux têtes valent mieux qu'une.*), pour remonter aux sources de la pensée. La multitude se laisse emporter par le courant, vers les plaines, la mer, l'océan de la majorité non pensante et silencieuse: idéal de la goutte d'eau prisonnière de la masse, d'une masse de plus en plus lourde que seuls les courants, les marées, les ouragans de l'opinion de masse arrivent à faire bouger.

Ainsi, les étudiants, en majorité effrayante, ont une langue écrite banale, tristement sage et plate, morte; parce que leur pensée est encore solidement emmaillottée dans les langes de la tradition morte. Ce sera l'ouvrage de toute une vie de retrouver la spontanéité, la jeunesse, la vie. Nous sommes tous venus au monde ankylosés d'habitudes héréditaires et de schémas de pensée venus des fonds de la Préhistoire; se défaire des bandelettes, réanimer la momie, voilà une entreprise qui dépasse de loin le courage et la lucidité moyennes: la plupart resteront ankylosés, momifiés, courroies d'engrenage dociles pour la transmission des idées reçues toutes faites. Idéal des fourmis reprenant inlassablement les sentiers de l'espèce spécialisée dans l'uniforme. Ce qui explique pourquoi les dictateurs et les paresseux ont une telle admiration pour les fourmis et pour tout ce qui vit, écrit et pense à la chaîne.

Ces jeunes à la pensée et à la langue homogénéisées, voyez-les devenus adultes. Députés, journalistes, enseignants, chansonniers, syndicalistes, fonctionnaires, ils auront parfois à parler, à écrire. Quelle sera alors la langue, quel sera le style qu'ils jugeront les plus aptes à transmettre leur pensée encore momifiée? Fatalement, la langue et le style thanatologiques. (C'est ainsi que, depuis peu, les entrepreneurs de pompes funèbres appellent pompeusement leurs salons mortuaires. Ça fait bien: thanatologiques! Qui soupçonnerait que c'est là un mot à saveur mortuaire? Un croque-thanatos éveillerait déjà davantage de soupçons.) Si un fonctionnaire s'adresse à ses administrés ou à ses collègues, si un administré soumet humblement un projet à ses collègues ou à un honorable administrateur, il coulera sa pensée banale dans le moule le plus neutre possible, le plus in-signifiant possible. Il éliminera scrupuleusement toute trace de vie, pour avoir l'air objectif, impartial, sérieux. Il fera le mort, pour avoir droit au respect dû aux morts. Surtout, surtout, il s'interdira sévèrement toute forme d'humour: il écrira comme un notaire. Par contre, il multipliera les *Attendu que*, les *Considérant que*, tout un bric-à-brac pseudo-scientifique et logique. La pensée et la langue transformées en boîtes de conserve et en flamants de plastique rose! L'élégance et la spontanéité des canards mécaniques! Le style de l'annuaire du téléphone!

Un mort peut être un *beau mort*: bien habillé, rasé de frais, cravaté, peigné, parfumé; il est même possible aujourd'hui, avec les progrès effrayants de la science, qu'on l'arrange pour qu'il sourie gentiment. Oui, mais on ne peut pas jouer bien longtemps à ce jeu mortuaire: quelqu'un dans l'assistance finira bien par comprendre que, sous ces apparences trompeuses, se cache un mort, beau tant qu'on voudra; et le beau sourire du beau mort finira bien par ne plus donner le change, à ceux-là du moins qui ont appris à faire la distinction entre les vivants et les morts. Amen!

Think deep enough, and you think musically: pense avec suffisamment de profondeur, et tu penseras musicalement. Un esprit superficiel pense, parle et écrit non pas en musique mais en cacophonie, en tintamarre confus. Et il se contente de ce bric-à-brac musical. Aucune musique, aucun humour, aucun signe d'un esprit sensible, frémissant, capable de rire et de pleurer; le sinistre sérieux d'un président de trust, d'un directeur de pompes funèbres. La platitude déguisée en bon goût.

On a les goûts et les dégoûts qu'on mérite. Comme on lit les auteurs qu'on mérite. *Les goûts, ça ne se discute pas* dit un autre proverbe proverbialement con qui fait toute la consolation de ceux qui n'ont pas de goût. Les goûts, ça se discute; quand on a du goût. Le goût des nazis qui faisaient rôtir les Juifs, c'était discutable. Oui ou non? De même, si on fait soi-même l'effort de penser et d'écrire comme un vivant, on finit par se donner le goût de voir chez les autres la différence entre un langage vivant et un langage *beau comme un mort*.

L'intelligence appelle au secours

Toute la dignité de l'homme est en la pensée. Mais qu'est-ce donc que cette pensée? Qu'elle est sotte!

Pascal, *Les pensées.*

La dignité de l'homme ne lui vient donc pas de sa naissance, de sa fortune, de son rang social, de sa profession: elle lui vient de sa pensée. Cette échelle de valeurs remet les choses et les personnes à leur vraie place. C'est une échelle qui est en même temps un idéal: pour l'étudiant comme pour l'enseignant, par exemple, le plus important, c'est l'épanouissement de leur intelligence. C'est tout autre chose que la hantise du minimum, l'adoration du 60%.

Il faut ajouter que la valeur d'un être humain, ce n'est pas uniquement son intelligence. En effet, tu peux être très intelligent, et te servir de ton intelligence pour être méchant, nuisible, pourri. Un criminel très intelligent qui se sert de son intelligence pour détruire ne mérite pas plus d'éloges qu'un honnête homme idiot. Et il est aussi dangereux pour l'humanité d'avoir dans ses rangs des intelligents très malhonnêtes que d'avoir des imbéciles très honnêtes.

Son intelligence, il faut donc la mettre au service de deux choses: la conquête de l'intelligence et la conquête de l'honnêteté. Les deux doivent être recherchées avec une égale ardeur. Ce qui veut dire aussi que leurs contraires: la malhonnêteté et la sottise doivent être combattues avec une égale ferveur.

Généralement, on admet la nécessité de combattre la malhonnêteté, l'injustice, la méchanceté sous quelque forme qu'elles se présentent: vol, violence, mensonge, fainéantise, procédés parasitaires et crapuleux, etc. On voit moins bien la nécessité de combattre la sottise sous toutes ses formes. Pourtant, la sottise est aussi dangereuse, aussi nuisible que la malhonnêteté. La malhonnêteté est à l'oeuvre partout, pourrit tout, si on la laisse proliférer en paix; la sottise aussi s'infiltre partout, pourrit tout, si on la traite avec indulgence.

À première vue, la sottise semble moins nocive que la méchanceté; et surtout elle semble moins agressive. Il n'en est rien. Nocive, profondément pernicieuse, elle l'est, en décomposant l'intelligence, en détruisant chez l'homme ce qui fait sa dignité, en le rendant bête. Agressive, oh combien! Baudelaire a parlé de *la bêtise au front de taureau.* Oui, la bêtise a le front dur d'un beu, elle a aussi les cornes d'un beu; et son ennemi numéro un, c'est l'intelligence, contre laquelle elle est constamment en guerre. Vous avez tous vu, à l'école primaire, secondaire et au cégep, dans les réunions publiques, sur la rue, au salon étudiant et dans les autres salons, vous avez tous vu, souvenez-vous, la bêtise à l'oeuvre; et ce n'est pas joli à voir, si tu es lucide. Et tu as vu jusqu'à quel point la bêtise devenait agressive, militante, exaltée, furieuse. Par exemple, quand la bêtise pèse de tout son front et de ses deux cornes de taureau pour installer la pagaille et faire régner la loi de la médiocrité. Rappelle-toi, rappelle-toi: ils étaient deux, trois gros taureaux bêtes dans le groupe, et si tu les as laissés faire, en peu de temps ils ont occupé toute la place, terrorisant quiconque ne voulait pas penser et agir bêtement. Ils mobilisaient ce que chacun porte en soi de bêtise, et en faisaient un monstre énorme, arrogant, stupide, acharné à démolir toute forme de beauté, de dignité, de respect, d'humanité. La bêtise a les moeurs et les appétits d'un ogre.

C'est pourquoi il est tellement urgent d'être intelligent; parce que la bêtise, elle, est très vigilante, très active, omniprésente, prête à tout pour faire régner son ordre et sa loi. Le temps presse: demain, la bêtise t'aura bouffé, si aujourd'hui tu ne développes pas les seules armes efficaces contre elle: ton intelligence et une haine féroce de la bêtise. Mais si ton idéal, c'est d'être intelligent à 60%, je t'annonce solennellement que tu fais déjà partie des rangs épais de la Bêtise militante. Toi et moi, essayons d'être intelligents à 100%; ce ne sera pas de trop pour tenir tête à la monstrueuse Bêtise sans cesse à l'oeuvre en nous et autour de nous.

On me dira: «Il faut tout de même être indulgent pour la faiblesse humaine.» Ce qui appelle beaucoup de réserve. D'abord, tu as le droit d'être indulgent, seulement *après* avoir identifié le mal, et l'avoir reconnu comme mauvais; ce qui suppose beaucoup de lucidité, d'intelligence. Ensuite, ton indulgence devra ressembler non pas à la dégoûtante mollesse mais à cette attitude du médecin qui, ayant identifié la maladie, met tout en oeuvre pour sauver le malade. Le médecin indulgent pour la maladie devient l'ennemi mortel du malade. Ce qui est tout le contraire de l'indulgence et de la charité. La charité des mous est molle; plus précisément, elle est pourrie. Il ne faut pas croire à la douceur de ceux qui ne connaissent pas la colère. Seuls les forts, les ardents peuvent être véritablement doux; les autres sont tout simplement mous, flasques, bonasses.

Mais comment être assez sûr d'avoir raison pour partir en guerre contre la Bêtise? N'y a-t-il pas danger d'être soi-même bête, et alors de partir en guerre non pas contre la Bêtise mais tout bonnement contre l'intelligence? Faire l'imbécile en croyant faire l'intelligent, tu as dû voir ça souvent dans ta carrière, et pas plus tard qu'hier, plus probablement ce matin. Certes, il n'est pas toujours facile d'y voir clair; à dire vrai, souvent, c'est très difficile. Mais cette difficulté même est une raison de plus pour nous stimuler à ne pas nous contenter de ce fameux idéal mou de 60%. Et puis, l'intelligence, ça se cultive; comme le goût, si on en a. De même que le goût, si on le cultive, arrive à faire la différence entre le vrai champagne et la pisse de jument que les Ontariens mettent sur le marché en la baptisant sous le nom pompeux de *Canadian Champagne*, ainsi l'intelligence, si on la cultive, arrive à savoir, dans une multitude de cas — par exemple, dans le cas des trois étudiants cités plus haut —, si elle doit s'indigner ou admirer. Et il ne faut pas attendre l'âge de la retraite pour se permettre de haïr la Bêtise. Ça presse, pour toi comme pour moi. Ne pas croire tous ceux qui te diront d'une voix insinuante et molle: «Sois idiot aujourd'hui; demain, tu seras intelligent.»

CHAPITRE 6

LANGUE ET HUMANISATION

Toute activité humaine peut devenir humanisante, développer la qualité d'un être humain. Le sport, tout comme la musique, l'agriculture, les mathématiques ou la philosophie.

Tout métier, fait avec intelligence et passion, permet à l'homme de mettre en acte les ressources de son être: la hache ou la corde de violon font prendre conscience à l'homme de ses limites et de ses potentialités. En même temps, tout métier, toute activité qui engage temps, intelligence, imagination, volonté et énergies amène normalement l'homme à se sentir solidaire des autres hommes (ce qui est un élément essentiel de l'humanisation), impliqué dans un aventure où chacun apporte sa contribution. L'artiste a besoin du boulanger pour vivre; le boulanger a besoin de musique pour ne pas mourir. Et le vigneron qui produit un bon vin devient lui-même plus humain, et il contribue à ce que les autres (pas nécessairement l'ivrogne) le deviennent davantage. La culture, l'humanisation, ce n'est donc pas le produit des seules activités dites libérales (celles des cols bleus, blancs, roses); et un bon ingénieur contribue à l'humanisation de l'humanité tout comme le poète, le philosophe ou le musicien.

C'est dire que toutes les disciplines enseignées dans un cégep peuvent être humanisantes, si elles sont bien enseignées et, surtout, comprises. Alors, pourquoi accorder une importance toute particulière à l'apprentissage de la langue maternelle et à l'étude des oeuvres littéraires? Dès que le minimum linguistique a été acquis, ne vaut-il pas mieux passer à des choses plus utiles que le raffinement de la langue maternelle? N'est-il pas préférable de mettre l'étudiant aux mathématiques, aux sciences, à l'apprentissage intensif et exclusif d'une spécialisation? Le futur électricien ne perd-il pas un temps précieux à étudier, par exemple, des oeuvres poétiques, des romanciers? Et en quoi un apprentissage plus poussé de sa langue maternelle rendra-t-il service au futur médecin ou au futur ministre des Finances?

C'est ce que pensent beaucoup d'étudiants et d'autres. S'ils y pensaient, ils diraient: «La langue, certes, est utile, tout comme les jambes; ce n'est pas une raison pour mettre tout le monde au développement systématique et intensif de ses jambes. Un homme normal, après qu'il a appris à se servir convenablement de ses jambes, ne pense plus à ses jambes: il s'en sert tout bonnement, instinctivement, et laisse aux coureurs olympiques le soin de se faire spécialistes de leurs jambes.»

Et il est vrai qu'il suffit de maîtriser instinctivement ses jambes pour faire son chemin dans la vie, entre les arbres, les maisons et les poteaux. En est-il de même pour la langue maternelle?

S'il est vrai que toutes les disciplines, toutes les activités peuvent développer l'esprit, l'humaniser, civiliser l'homme, parmi ces activités, l'étude et la maîtrise de la langue maternelle occupent une place de choix. Entendons-nous bien: dans l'apprentissage de la langue, comme d'ailleurs dans tout autre apprentissage, tout n'a pas la même valeur humanisante. Ainsi, quand j'apprends le pluriel de *cheval*, je me donne une perfection ni plus ni moins culturelle que si j'apprends ce que donne 3 x 9, quelle est la capitale du Brésil, en quelle année mourut Mackenzie King, ou à quelle profondeur il faut semer des patates pour récolter des patates: dix pouces, ou dix pieds? Et ainsi de beaucoup d'autres activités linguistiques dont il ne faut pas célébrer outre mesure l'apport culturel.

Mais si j'arrive à comprendre exactement le mécanisme du subjonctif ou de l'attribut, je fais tout autre chose que meubler ma mémoire: je m'élève au stade de la pensée réfléchie. Le phénomène linguistique m'oblige à comprendre mon mécanisme mental, le fonctionnement de mon intelligence; je réfléchis sur ma pensée, je l'analyse; je ne me contente plus d'utiliser en automate mon cerveau: je le maîtrise comme un bon mécanicien maîtrise un moteur. Moi je ne suis pas mécanicien, je ne maîtrise pas le moteur de ma voiture; quand le moteur cale, je ne suis pas assez calé pour le faire *décoller*; je mets les cales, et j'appelle au garage. Mais comprendre un peu mieux comment fonctionne mon cerveau, c'est tout de même plus urgent que comprendre comment fonctionnent mon téléviseur et le moteur de ma lessiveuse.

Il serait peut-être souhaitable que tout homme civilisé arrive à se donner toutes les connaissances lui permettant d'être électricien, plombier, chirurgien, organiste, biologiste, mécanicien de bulldozer, physicien, virtuose de l'informatique, géologue, historien, physiothérapeute, oto-rhino-laryngologiste, et tout le reste. *De omni re scibili et de quibusdam aliis*: connaissant toute chose connaissable et quelques autres en plus. Il serait alors membre de tous les syndicats, mènerait une belle vie, répondrait en vitesse à ses besoins de tous genres, et rendrait une infinité de services à sa famille, à ses amis, à son peuple, à l'humanité. Quelle vie exaltante!

En attendant ce beau jour, l'homme est forcément limité dans ses capacités de connaissance; il doit laisser à d'autres une foule d'apprentissages, et accepter humblement d'avoir besoin du plombier, du dentiste, du garagiste et du chef d'orchestre (mais pas nécessairement des astrologues, des naturopathes et des névropathes de Moon).

Mais doit-il accepter si facilement de laisser à d'autres le soin de sa langue maternelle et de sa pensée? Sa langue et sa pensée sont-elles des spécialités au même titre que la physique nucléaire et l'électronique? Un homme peut être parfaitement civilisé et ignorer à peu près tout du fonctionnement de la fusée Apollo, de son téléviseur et de son rasoir électrique; mais sera-t-il civilisé s'il parle sa langue maternelle comme un Malappris et s'il pense comme un rasoir électrique? C'est peut-être une déficience de ne pouvoir apprêter un saumon comme le ferait un grand chef cuisinier; c'est sûrement une lacune infamante de ne pouvoir *apprêter* sa pensée et, en conséquence, de l'exprimer comme un Ostrogoth. L'usage de la parole est peut-être apparu chez l'homme alors qu'il était déjà un spécialiste du silex taillé; nous n'en savons moins que rien; chose certaine, depuis qu'il parle, cette activité laisse loin dans l'ombre toutes ses autres spécialités, car elle prouve, mieux que toute autre, l'activité de sa pensée.

Qu'il utilise une pelle, un cure-dents, un bistouri, un bulldozer ou un pinceau, l'homme, par l'intermédiaire de l'outil, entre en contact avec le monde extérieur; il l'explore pour le connaître et le transformer à son image. Mais l'outil lui permet en même temps de se découvrir lui-même, de se construire lui-même. Il se sculpte lui-même en sculptant une statue; et quand il a fini d'écrire son poème, il est vrai qu'il a transformé le matériau linguistique pour créer une oeuvre extérieure à lui; il est plus vrai encore qu'il s'est modelé lui-même.

À la fin de sa vie, l'homme est devenu le fruit de toutes ses activités. S'il a bousillé toutes ses oeuvres, il se retrouve avec un être, une personnalité infirme, bousillée. «Quelle différence, me direz-vous, cela peut-il faire chez un mort?» Cela dépend. Examinons trois hypothèses.

1. Si le mort s'en va au Néant, il n'importe en rien qu'il se soit donné de son vivant une forme éloquente ou informe: Néant + Néant = Néant. C'est exaltant!

2. S'il a travaillé avec l'objectif de transformer l'humanité, en se disant que toute amélioration de soi-même enrichit le Grand Tout qui seul compte, il lui sera quelque peu difficile d'évaluer son degré de réussite, mais au moins pourra-t-il se dire qu'il a essayé de laisser le Grand Tout un peu plus Tout qu'il ne l'avait reçu. Le Grand Tout n'est pas beaucoup plus excitant que le Néant, mais enfin c'est déjà quelque chose; certains appellent ça *Les lendemains qui chantent*.

3. S'il s'en va vers l'éternité non pas du Grand Néant insignifiant, ni du Grand Tout fourre-tout, mais vers l'éternité d'une Vie où lui-même restera bien vivant en tant que personne et non en tant que molécule interchangeable et gonflable au profit du Tout, c'est avec le secret espoir que la perfection qu'il a cherché à se donner par ses efforts de toutes sortes jouera un certain rôle dans son bonheur éternel: un saint paresseux ne doit pas jouir autant de l'Éternel et du royaume des cieux qu'un saint intelligent et diligent. Je l'affirme sous toute réserve, en comparant la béatitude céleste à la béatitude terrestre, la seule dont je puisse parler un peu sensément; en pensant aussi aux préceptes de toutes les religions qui stimulent leurs fidèles à travailler ferme pour se mériter la céleste accolade. «Bienheureux les paresseux, car le royaume des cieux est à eux!», je n'ai lu ça nulle part dans les livres inspirés. Et si la paresse exclut du royaume, une demi-paresse, même si elle permet l'entrée au royaume, ne devrait pas rapporter les mêmes dividendes éternels que l'activité d'un Mozart, d'un Einstein ou d'un Shakespeare.

Cette réflexion n'est pas une digression farfelue: il n'est pas insensé de prétendre que toute activité humaine vise d'abord à transformer l'homme agissant, plus que la matière extérieure sur laquelle porte son effort. Et plus l'activité portera sur l'homme lui-même, plus le résultat a des chances d'être humanisant. Avec son bistouri, le chirurgien transforme le malade et se transforme lui-même; mais si le médecin, au lieu de se pencher sur le malade avec ses instruments, se penche sur lui-même et essaie de mettre plus d'ordre dans le fonctionnement de son esprit, on peut en conclure, il me semble, que son diagnostic, accompagné des remèdes appropriés, aura plus d'efficacité pour son propre fonctionnement que celui, indirect, obtenu par l'exercice de son art sur la personne de ses patients.

C'est tout l'enseignement de Socrate au jeune, beau et fringant Alcibiade playboy: avant de penser à t'occuper des affaires publiques, apprends donc à voir clair dans tes propres affaires! Et tes propres affaires, ce n'est pas tes biens matériels, tout extérieurs à toi; ce n'est pas ton corps, image très équivoque et fort imparfaite de toi-même; c'est ton âme. Et t'occuper de ton âme, c'est essayer de la rendre plus vertueuse, plus conforme à un idéal de beauté. «Donc, encore une fois, quiconque soigne son corps, soigne ce qui est à lui, et non lui-même. Celui qui prend soin de sa fortune ne prend soin ni de lui-même, ni de ce qui est à lui, mais de choses encore plus étrangères à celles qui sont à lui. Donc le banquier ne fait pas encore ses propres affaires.» (Platon, *Premier Alcibiade*)

Bon nombre d'hommes d'affaires seraient fort surpris et indignés d'apprendre que plus ils s'occupent des affaires, moins ils s'occupent de leurs propres affaires. C'est pourtant une évidence pour celui qui a un sens humain plus subtil que celui du sens des affaires. «J'ai perdu le sens de l'humour depuis que j'ai le sens des affaires», fait dire Claude Dubois à son millionnaire. Claude Dubois n'a peut-être pas lu Platon, mais il a, comme Platon, le sens de l'humour qui permet de démystifier les apparences et de voir l'homme infirme sous le millionnaire plein à craquer d'affaires qui lui sont étrangères.

Le même Platon dira que faire une faute contre la langue, c'est blesser son âme. Voilà un genre d'accident pour lequel il n'y a pas de compagnies d'assurances. Et en créer une, dont les indemnités seraient payées par l'État, précipiterait le Québec dans la banqueroute à une vitesse bien prévisible mais difficilement quantifiable.

Pourtant, on voit facilement, pour peu qu'on y fasse réflexion, que mépriser sa langue, c'est-à-dire la négliger, c'est négliger et mépriser son esprit. Qu'on appelle esprit ou âme, cette partie de nous-mêmes ainsi méprisée, peu importe; l'essentiel, c'est de voir que ce mépris nous affecte et nous détruit dans notre être le plus intime. Mal parler dégrade plus que se promener, sans raison, en société, avec des vêtements sales, une odeur de marcassin et des cheveux crottés. Quand tu parles mal, tu te méprises toi-même, et tu mérites le mépris. Tu fais de même si tu écris mal, ayant eu par ailleurs la chance d'apprendre à écrire ta langue maternelle.

Bien parler et bien écrire, rappelons-le, n'a rien à voir avec le langage pédant, artificiel, guindé, poli comme une peau de fesse protocolaire. Mal parler, c'est avant tout

- parler pour ne rien dire ou dire des choses insensées,
- ou parler sans faire l'effort nécessaire pour être bien compris,
- ou parler sans tenir compte de son interlocuteur.

Le reste, ce sont fautes mineures, qu'il est souhaitable cependant d'éviter, car souvent une faute, apparemment insignifiante, peut entraîner un désastre. Un mauvais usage de la ponctuation, par exemple, peut rendre un texte abracadabrant ou absurde. Ainsi, quand on a présenté un projet de sigle pour le Cégep de Sept-Îles, un malencontreux texte nous disait à deux reprises que le sigle symbolisait les *floçons* de neige. Ce qui ne contribua pas peu, je crois, à mobiliser l'opinion publique contre ledit sigle. Si un éminent orateur se rend au micro avec la *fly* ouverte et sans paravent protecteur, il aura beau faire un discours sublime, son auditoire ne le prendra pas au sérieux tant qu'il n'aura pas fermé sa *fly*; et même quand il aura fermé sa fameuse *fly*, il n'est pas du tout sûr qu'il parvienne à reprendre en main la situation. L'homme est ainsi fait; et ce n'est ni vous ni moi qui le referons. Ce n'est d'ailleurs pas souhaitable, car si on peut déplorer que parfois le sens du ridicule fasse perdre à l'homme le sens de la mesure, il serait beaucoup plus déplorable de le guérir du sens du ridicule: il deviendrait alors sérieux comme un hippopotame ou un président de trust. Au lieu donc de blâmer chez l'homme cette manie de se moquer un peu trop facilement de tout, mieux vaut s'exercer soi-même à parler et à écrire de manière non ridicule.

Si j'étudie la physique, ma pensée se porte sur un sujet extérieur à elle; je réfléchis, mais ce n'est pas sur moi; j'utilise ma pensée comme un projecteur pour éclairer mon objet d'étude. La réflexion se passe toute en moi, et portera fruit à proportion de mon intelligence, puisque c'est une opération intellectuelle. Si j'arrive à voir plus clair dans un problème de physique, j'aurai à la fois mis de l'ordre dans le monde extérieur et en moi-même. Deux résultats évidemment précieux. J'aurai alors humanisé la nature en lui donnant la marque de l'esprit humain; je me serai humanisé moi-même en me donnant une perfection nouvelle: une mise en acte de mon aptitude à connaître et à comprendre.

Mais quand j'étudie ma langue, je réfléchis sur une création de l'esprit humain; cette création, je peux donc l'appeler plus humaine que la grenouille ou l'arbre étudiés par la science. Ce langage humain, codifié dans les dictionnaires et les grammaires, est, certes, extérieur à moi et, d'une certaine façon, je peux l'étudier comme s'il était le produit d'un Martien ou d'un dauphin. Mais quand je réfléchis sur ce langage, quand j'essaie de me l'expliquer, de savoir pourquoi, par exemple, la langue a besoin de modes et de temps, d'attributs et d'épithètes, alors je dois forcément remonter à la source du langage, qui est la pensée humaine. J'explore en quelque sorte mon propre esprit, sa nature, son fonctionnement. Mon laboratoire d'expérimentation devient mon propre esprit.

Quand je me parle à moi-même de moi-même, je fais une enquête plus directement humaine et humanisante que si je me parle à moi-même de l'électricité ou du système nerveux de la grenouille. De même, si je lis un texte où un homme me parle de l'homme, donc de moi, ce texte est plus directement humanisant que s'il s'agissait d'un texte m'expliquant le fonctionnement d'un moteur. Et si, dans l'homme, l'écrivain me parle de ce qu'il y a de plus humain: ses émotions, son coeur, ses passions, son âme, ce texte a plus de chance d'épanouir mon humanité que s'il me parlait de la circulation sanguine ou de mon système nerveux. C'est ce qui donne à la littérature, apparemment inutile, non rentable, non pratique, une dignité et une efficacité toutes particulières.

Apprendre sa langue maternelle, c'est non seulement perfectionner de plus en plus l'outil de communication le plus efficace pour exprimer sa pensée; c'est, en même temps, perfectionner cette pensée qui est à la source de la parole. Toute activité humaine, faite avec suffisamment de conscience, perfectionne cette pensée; mais l'activité de l'esprit qui porte sur la pensée elle-même est doublement humanisante. C'est ce que tu fais depuis le début de ce livre, si toutefois tu le fais avec suffisamment de conscience.

CHAPITRE 7

LANGUE MATERNELLE, OUTIL D'APPRENTISSAGE DES AUTRES DISCIPLINES

Nous aurions sûrement appris à marcher, même sans le support d'une langue maternelle; et apprendre avec exactitude ses tables de multiplication n'implique pas nécessairement que l'on parle bien. Il en est de même pour une foule d'apprentissages, de celui du ski, en passant par celui de l'orgue, pour en arriver à celui de la méditation transcosmique. Alors, en quoi la maîtrise de sa langue maternelle serait-elle indispensable à l'acquisition des connaissances en chimie, en physique ou en philosophie?

Tout simplement parce que l'homme, par souci d'efficacité, a choisi de transmettre ses connaissances surtout par le véhicule de la langue parlée ou écrite. À l'occasion, il utilise l'image, le geste, les symboles scientifiques; mais le plus souvent, il transmet ses connaissances par le médium de la langue. Oralement ou par écrit, l'homme communique ses connaissances acquises; l'apprenti écoute ou lit ce que l'humanité a accumulé d'expérience sur tel sujet au cours des siècles; ce qui évite à chacun de nous d'avoir à tout recommencer à zéro.

Pour comprendre ces écrits, il faut savoir lire; et, au niveau collégial, savoir lire autrement qu'en épelant les mots avec ses doigts. Lire rapidement et, surtout, comprendre. Comprendre des textes nombreux et fort différents d'une discipline à l'autre. Textes qui, pour être compris, supposent non seulement la connaissance d'un vocabulaire souvent très spécialisé, mais une aptitude particulière à l'abstraction, à la logique, à la synthèse; sinon, l'étudiant vogue en plein charabia et dans les brumes de la confusion mentale, avec la douce conviction qu'il se développe l'esprit.

De son côté, le professeur, même pour enseigner les mathématiques, parle, et parle beaucoup. Pour parler clairement, sensément, il doit bien posséder sa langue; sinon, il engendre la confusion, l'à peu près; il trahira à la fois la langue et les mathématiques. Il déformera systématiquement, et mathématiquement, les esprits, en prétendant les instruire.

Si son professeur parle sensément, clairement, l'étudiant devra posséder, pour comprendre ce qu'on lui dit, un autre niveau de langue que celui du salon étudiant, de la taverne, de l'épicerie, des bandes dessinées et de la rue; sinon, il bousillera les mathématiques et le langage mathématique, parce qu'il se sera d'abord égaré dans les labyrinthes du langage.

Ce n'est donc pas un hasard, semble-t-il, si 80% des étudiants du Cégep de Sept-Îles et d'ailleurs qui échouent, à une même session, à la moitié de leurs cours, ont un échec en langue maternelle. Cette carence de base les handicape dans toutes les autres disciplines, où ils ont beaucoup de mal à comprendre ce qu'on leur enseigne et, naturellement, à exprimer ce qu'ils ont mal compris.

Il y aurait d'autres explications possibles à cette concordance entre faiblesse en langue maternelle et multiplication des échecs dans les autres disciplines. On pourrait dire, par exemple, qu'un grand nombre d'étudiants deviennent de plus en plus malhabiles en français et dans les autres disciplines, à cause de leur environnement culturel qui les plonge dans le visuel, le sensoriel, le concret: ils vivent sans cesse stimulés par le monde des sensations fortes, pour ne pas dire violentes, qui désarticulent la pensée logique, abstraite, et les amènent à se laisser vivre au rythme des instantanés audio-visuels. Ils sont les enfants de l'électronique, bien plus que de la raison cartésienne. Ils sont faibles parce qu'on les juge selon les critères d'une civilisation révolue; si les cégeps se mettaient à l'heure d'aujourd'hui, les étudiants n'accuseraient plus de retard. Ces jeunes sont des mutants qu'on évalue encore selon des normes immuables.

L'explication n'est pas farfelue; elle contient sûrement une bonne part de vérité et souligne que l'école d'aujourd'hui, comme celle de tous les temps passés et à venir, est plus ou moins en retard sur la vie en marche. Ce qui suppose qu'on doive constamment la critiquer, l'ajuster, mettre en doute ses dogmes et ses moules. Par contre, il n'est pas prouvé que l'humanité marche allègrement, fatalement, vers l'incohérence, et que l'homme de demain sera le produit désintégré d'un monde éclaté et déboussolé où la logique, c'est-à-dire l'intelligence, sera à l'index.

Une autre explication serait que chez les étudiants qui ont moins d'aptitudes pour les études plutôt abstraites du niveau collégial ou chez ceux qui ont une préparation insuffisante, il n'est pas étonnant de trouver à la fois une déficience en langue maternelle et dans les autres disciplines: ils sont faibles dans les autres disciplines, non pas parce qu'ils sont faibles en langue maternelle, mais tout simplement parce qu'ils sont faibles en tout. En sorte que, pour diagnostiquer leur faiblesse, on pourrait analyser n'importe quelle de leurs activités intellectuelles; et que, pour corriger leurs déficiences, on pourrait tout aussi bien les mettre à l'étude intensive de la philosophie, de l'électronique ou de l'histoire qu'à celle de leur langue maternelle.

Certes, il existe des différences de calibre intellectuel. Si c'est vrai, rien d'étonnant de trouver des étudiants faibles en philosophie, non pas parce qu'ils sont faibles en français, mais tout simplement parce qu'ils ont une faiblesse intellectuelle qui se manifeste et en philosophie et en français.

Mais là n'est pas la question. La seule question pertinente, ici, c'est de savoir, étant donné cette faiblesse qui se révèle dans la maîtrise de la langue maternelle et des autres activités intellectuelles, sur quoi mettre l'insistance pour corriger dans une certaine mesure cette faiblesse. On ne peut pas réparer tous les dégâts de la nature capricieuse ou des conditions sociales qui les accentuent, mais on peut sans doute y apporter quelque correctif.

Servons-nous ici de deux comparaisons pour faire voir, au moins de façon indirecte, que si on améliore la langue maternelle, on améliore du même coup l'apprentissage des autres disciplines.

1. Au hockey, un instructeur, pour obtenir d'excellents résultats, peut décider, ou bien de mettre l'accent sur la condition physique de ses joueurs, ou bien de développer des habiletés particulières comme le lancer, le patinage, la mise en échec, la passe, etc. Sans une excellente condition physique, comment exceller dans chacune des composantes du jeu de hockey? Pourtant, il a fallu l'exemple des Européens pour que les instructeurs d'ici comprennent l'importance de la condition physique. Ils en étaient, certes, vaguement convaincus; mais une conviction vague donne des résultats vagues.

De même pour la langue: tout le monde admet sans difficulté qu'on doive savoir le français pour étudier l'histoire écrite en français; mais on voit beaucoup moins clairement que, pour faire des progrès marqués en histoire, il faille d'abord faire des progrès marqués en langue maternelle. Ce qu'on admet en théorie, on l'oublie trop facilement dans la pratique: on fait porter tous les efforts sur la spécialisation, sur la pratique du lancer ou du *coup de patin*, et on néglige le développement global de l'être physique qui exécute ces actions. Pour obtenir des résultats marquants, il faut tenir compte à la fois de la source d'énergie et de la maîtrise des outils spécialisés branchés sur la source motrice.

On pourra dire que la source motrice, c'est la pensée, et non la langue; que cette pensée se développe, non pas de façon abstraite, par une réflexion et une pratique faites gratuitement sur la langue, mais précisément par une application concrète de la langue à l'étude de l'histoire, de la physique ou de la philosophie.

Il est vrai que la pensée peut se développer à l'occasion de tout; il est vrai qu'il faut penser tout autant pour résoudre un problème de chimie que pour écrire un paragraphe sensé; il est vrai qu'il y a mille façons de penser et d'exprimer cette pensée sans avoir recours à la langue. Mais, encore une fois, la langue est, parmi les moyens d'expression de la pensée, celui qui est à la fois le plus souple et le plus général; et, si on en a une bonne connaissance, les autres apprentissages s'en trouvent d'autant facilités. Personne n'irait dire qu'un joueur de hockey en bonne condition physique lance automatiquement le disque comme un as; mais tout le monde comprend que pour lancer efficacement, en toute circonstance, il faut avoir développé autre chose que ses bras.

2. L'autre exemple est celui de la main et de l'outil. La main n'est pas le cerveau, pas plus que la langue n'est la pensée. Mais la main est très souvent l'exécutrice privilégiée de l'activité cérébrale. Parfois, elle exécute elle-même ce que l'intelligence lui inspire; parfois, elle se sert d'outils. Dans ce dernier cas, l'intelligence utilise deux moyens d'exécution: la main, outil principal, et un outil secondaire: fusil, hache, ciseau, tournevis, pinceau, stylo... L'outil secondaire joue son rôle spécifique, très important; et il doit avoir ses qualités propres, sous peine que soit annulé ou réduit le résultat escompté; mais la qualité du produit est en dépendance encore plus étroite des habiletés manuelle et intellectuelle.

L'homme cherche à connaître le monde et à se connaître lui-même; c'est pourquoi il a créé les différentes sciences; et, grâce aux différentes techniques inspirées des sciences, ces connaissances théoriques donnent tous ces beaux fruits qui caractérisent la civilisation humaine: cathédrale, fusée, symphonie, etc. L'intelligence, le savoir théorique, la technique: trois réalités distinctes, mais étroitement reliées, indissociables, quand on veut produire une oeuvre humaine: un empire, un poème, un vêtement ou un meuble.

On peut donc considérer la langue comme un outil, mais un outil comparable à la main, plutôt qu'à un tournevis. Autrement dit, c'est un outil permettant d'utiliser un très grand nombre d'autres outils. Si je suis un grand philosophe qui ne sache ni parler ni écrire, ma philosophie devient incommunicable; de même pour le sociologue, le politicien, l'historien et combien d'autres. Par contre, si je suis menuisier, mathématicien, électrotechnicien, je pourrai produire à l'infini des choses utiles, sans avoir nécessairement recours à la langue. Mais, normalement, je ne travaillerai pas seul; et alors, quand j'aurai à donner ou à recevoir des instructions, il sera bien utile que je sache m'exprimer autrement que par des symboles mathématiques ou l'équerre.

De plus, un homme, c'est tout autre chose qu'un métier, si passionnant et utile que soit ce métier: un homme, c'est un être ouvert à tous les aspects de la vie, impliqué dans le réseau des innombrables relations humaines, ayant le droit et souvent le devoir de s'exprimer sur tous les problèmes que soulève la vie en société. Pour jouer ce rôle polyvalent, il a besoin de tout autre chose que du tournevis de son métier: il devra avoir la main souple, c'est-à-dire avoir une langue souple, capable de dire efficacement ce que son intelligence pense de la pluie et du beau temps, mais aussi de la pollution, du gouvernement, de l'amour, du P'tit Simard et de tout le reste. La fourmi, elle, est un spécialiste surspécialisé et, en conséquence, extrêmement borné et déficient, comme beaucoup de spécialistes de nos jours qui, disciplinés et étroitement bornés, s'affairent à la queue leu leu, dans leur ornière bien spécialisée ou sur un monorail à sens unique.

En conclusion, on peut donc affirmer qu'**un cégep où la langue maternelle est faible est un cégep où tout le reste est pauvre**. Et qu'un cégep, pour tendre à l'excellence en tout, doit d'abord tendre à développer l'excellence en langue maternelle. Si on n'a pas compris cela, ou si on ne lui accorde qu'une attention distraite, on bâtit sereinement dans l'illusion, alors que les fondations sont de bois pourri installé sur le sable mouvant.

CHAPITRE 8

LANGUE FAITE DE RIGUEUR ET DE SOUPLESSE

Il y a des millions de manières de parler et d'écrire pour ne pas dire ce qu'on pense (ou plutôt pour essayer de dire ce qui n'a pas d'abord été pensé). Au chapitre 5, nous avons vu trois étudiants nous démontrer avec brio qu'il est facile d'écrire pour n'être pas compris: il suffit de laisser la main écrire seule, sans l'intervention de l'intelligence. Ceux qui ont fait de ce vice une habitude et, dans certains cas, une vertu s'embrouillent l'intelligence à un point tel qu'il devient même très difficile de leur faire voir qu'ils ne voient rien. Il serait donc presque impertinent de leur demander de la rigueur, de la précision de pensée et d'expression. Et puisque nous ne sommes pas ici en psychiatrie, limitons-nous à la rigueur qu'on peut exiger d'esprits moins déboussolés.

Il y a bien des manières de traduire en français l'idée suivante: *Parce qu'il pleut, je n'irai pas en excursion*, toutes valables, selon les nuances à mettre en relief. Et toutes les langues se sont donné une variété de structures aptes à traduire toutes les nuances de la pensée. L'important, c'est de choisir, parmi les formules disponibles à l'intérieur d'un système linguistique donné, celle qui exprime le mieux la nuance à traduire.

Pour faire ce choix judicieux, il faut de la rigueur de pensée: savoir exactement ce qu'on veut dire et ne pas avoir l'esprit assez flou et brumeux pour croire que l'une ou l'autre formule, indistinctement, fera l'affaire. Ça fait l'affaire, si on veut s'exprimer à peu près; ça ne fait pas du tout l'affaire, si on est sensible aux nuances de la pensée et de la langue.

Ce qui explique le paradoxe suivant: mieux tu possèdes ta langue, plus tu sens le besoin de recourir à la grammaire et au dictionnaire, deux outils de travail bien inutiles pour celui qui se contente de dire n'importe quoi n'importe comment. En tout domaine, la thérapeutique de l'ignorance procure une belle sérénité.

La maîtrise des moyens d'expression fournis par sa langue maternelle suppose donc tout autre chose que l'ignorance, et elle est apte à développer la rigueur de pensée tout aussi bien que les sciences dites *exactes*. La langue maternelle aussi est exacte... quand on la connaît.

Cette rigueur et cette souplesse s'appliquent au vocabulaire et à la phrase isolée; elles s'appliquent aussi, surtout, au paragraphe, à une suite de paragraphes, à la signification globale d'un texte. Qu'il s'agisse d'un texte poétique, d'un texte philosophique, scientifique ou de quelque autre genre que ce soit. L'enseignant qui ne porte pas attention à cette rigueur et à cette souplesse, inculque le culte de l'à peu près et bousille la discipline même qu'il prétend enseigner, en cultivant l'incohérence, la bouillie mentale. J'ai signalé plus haut que l'étudiant non attentif à cette rigueur intellectuelle se déforme systématiquement l'esprit: plus il fréquente l'école, plus il s'enfonce dans l'absurde, alors que s'il cultivait des carottes, il serait presque forcé par les carottes de cultiver en même temps son bon sens.

De cette rigueur et de cette souplesse dans la pensée et dans la langue véhicule de la pensée, je donnerai trois exemples tirés de *Terre des hommes* de Saint-Exupéry. Je pourrais tout aussi bien les tirer d'un livre de philosophie, d'histoire, de géographie ou de sciences dites pures.

La fontaine miraculeuse

En conclusion d'un de ses paragraphes, Saint-Exupéry emploie l'expression *fontaine miraculeuse*. Deux mots simples, mais qui, réunis, deviennent totalement obscurs pour certains. Bon nombre d'étudiants, ici, crieront volontiers à l'obscurité, et accuseront l'écrivain de ne pas dire ce qu'il veut dire; tandis qu'en science, hein! les choses sont dites clairement... Eh oui! c'est clair, la psychologie de Freud; c'est clair, la pensée de Marx; c'est clair, le calcul intégral ou la théorie de la relativité!

Mais avant de crier à l'obscurité de cette *fontaine miraculeuse*, lisez donc le contexte, c'est-à-dire ne lisez pas le texte comme une fourmi lit son chemin, pas à pas, mot à mot, phrase à phrase. Lisez avec l'esprit, sortez des moules, des formules toutes faites, et alors cette *fontaine miraculeuse* vous éblouira de sa clarté, puisqu'il s'agit du soleil levant.

Prise dans son contexte, cette image a une rigueur de signification qui ne laisse aucun doute possible. L'écrivain a très bien dit ce qu'il voulait dire, et d'une façon beaucoup plus expressive que s'il avait dit: le soleil se lève. Et celui qui veut faire dire autre chose à cette *fontaine miraculeuse*, c'est qu'il manque tout à fait de rigueur, de logique, bref, d'intelligence: son esprit est une fontaine *ténébreuse*. La langue et la pensée de Saint-Exupéry, dans ce paragraphe, sont d'une clarté aveuglante, aussi indiscutable que les formules mathématiques ou algébriques les plus limpides: $2 + 2 = 4$; $(a + b)^2 = a^2 + 2ab + b^2$. Pour le voir, il suffit de s'ouvrir l'esprit et ne pas se contenter bêtement de dire: «La littérature, ça dit n'importe quoi; le français, c'est pas clair, tandis que les sciences...»

Le rire de Bury

Ce rire nous pose un autre problème, d'une importance capitale. Il est des choses que la langue, si déliée soit-elle, est impuissante à exprimer de façon claire: c'est le mystère de la vie et de l'homme. Cela va de soi; on ne devrait pas s'en étonner. L'écrivain quelque peu lucide l'admet volontiers. Pourquoi les hommes de science, s'ils sont petits, ont-ils tellement de répugnance à l'admettre? Pourquoi essaient-ils de donner le change avec leur clarté truquée, leur bougie enfumée? Les grands esprits scientifiques, eux, se gardent bien de prendre les vessies scientifiques pour des lanternes magiques.

Écoutons maintenant le rire du Bury. Ce rire énigmatique produit chaque année une prise de conscience salutaire chez ceux des étudiants qui le méritent. Saint-Exupéry, dans ce passage, pose au pilote Bury rentrant d'un vol harassant et périlleux une question naïve qui déclenche le rire bruyant de Bury. Saint-Exupéry n'explique pas clairement, dans le contexte, pourquoi Bury éclate de rire. Je demande aux étudiants: «Pourquoi ce rire de Bury?» Et commence alors une opération douloureuse et féconde comme un accouchement.

À cette question, il y a plusieurs réponses sensées possibles; ce qui n'était pas du tout le cas pour la *fontaine miraculeuse*. D'abord, voir cet éventail possible de réponses sensées, toutes défendables par le contexte, c'est déjà un bon exercice d'ouverture d'esprit. Mais quelle hypothèse d'interprétation retenir? Les étudiants, avec qui je me montre, ailleurs, impitoyable sur le point de la rigueur, sont tout scandalisés, ou du moins éberlués, quand je leur dis que je suis tout à fait incapable de leur dire, ici, laquelle de ces réponses sensées possibles doit être retenue en exclusivité. «Alors, Saint-Exupéry est un auteur confus? Alors, il n'arrive pas à dire ce qu'il veut dire? Alors, il ne réussirait pas votre cours?» Et d'autres réflexions qui montent en foule de leur généreuse naïveté.

Moment privilégié pour une salutaire prise de conscience. Et je leur dis à peu près ceci:

«Bon, sous prétexte que l'algèbre, le bistouri, le microscope sont très utiles et précis, vous voudriez, comme des p'tits Jos Connaissants, vous servir de ces outils pour analyser le rire, les larmes, l'amour humain, et en tirer des solutions d'une clarté impeccable, des formules carrées comme: Paul et Micheline + (V–T) = amour parfait, ou rire assuré, ou larmes fatales, selon les valeurs données à V et T. L'amour par ordinateur! Les larmes expliquées par la biologie! Le rire expliqué par les lois impeccables de la physique!

«Certes, je suppose que, assez souvent, vous pouvez expliquer, avec quelque certitude, pourquoi vous riez ou pleurez. Mais souvent aussi, très souvent, je l'espère, vous seriez bien en peine d'expliquer, noir sur blanc, pourquoi vous riez ou pleurez, pourquoi vous aimez telle personne plutôt qu'une autre. Plus vous êtes intelligents, plus vous sentez votre impuissance à trouver, dans ces cas, des explications claires. Vous êtes là dans les profondeurs océaniques, les espaces infinis de l'être humain, et tous vos outils d'analyse se révèlent très déficients. Dès que vous regardez votre nombril, vous êtes pris de vertige. Un chat qui miaule vous pose des questions insolubles. Vous êtes emportés dans un ouragan de questions sans réponses, si vous regardez intelligemment un pissenlit. Un chat, un pissenlit, ce sont des univers de galaxies.

«Tiens, toi, dis-nous pourquoi tu as souri quand j'ai parlé du chat; dis-nous pourquoi il y a des chats dans le monde. Après, tu nous diras pourquoi l'homme a deux pieds plutôt que trois, pourquoi il lui arrive d'avoir le coeur à l'envers, des nuits à l'endroit, le rire aux joues et des chats d'émotion dans la gorge.»

Alors, ceux qui ont reçu des oreilles pour entendre, des yeux pour voir et une intelligence pour comprendre sauront, pour le reste de leur vie, que le microscope et la poésie sont deux inventions qui font honneur à l'intelligence de l'homme; mais qu'il ne faut pas utiliser ces outils indistinctement l'un pour l'autre; que le royaume spirituel de l'âme humaine exploré par la littérature a autant de réalité, de consistance, de vérité, que les royaumes physiques explorés par le microscope, le télescope ou le bistouri.

Donc, le français est aussi apte que les sciences à dire des choses claires, quand les choses sont claires. Et quand il s'agit de choses obscures (et ces choses sont en nombre infini, surtout quand on aborde le royaume intérieur de l'homme), le français procède par approximations, sondages, analogies, métaphores, tout comme les sciences quand elles ne se laissent·pas éblouir par de fausses évidences, des vessies colorées et des solutions toutes creuses.

Le vaisseau fantôme

Voyons un dernier exemple:

> *La dissidence ajoutait au désert. Les nuits de Cap Juby, de quart d'heure en quart d'heure, étaient coupées comme par le gong d'une horloge: les sentinelles, de proche en proche, s'alertaient l'une l'autre par un grand cri réglementaire. Le fort espagnol de Cap Juby, perdu en dissidence, se gardait ainsi contre des menaces qui ne montraient point leur visage. Et nous, les passagers de ce vaisseau aveugle, nous écoutions l'appel s'enfler de proche en proche, et décrire sur nous des orbes d'oiseaux de mer.*

Et je pose aux étudiants trois questions simples sur ce texte: 1. Quel est ce vaisseau? 2. Pourquoi est-il aveugle? 3. Quels sont ces oiseaux?

Et j'écris au tableau leurs réponses. Beau gâchis! Presque autant de réponses différentes qu'il y a d'étudiants. Saint-Exupéry a-t-il voulu dire tout cela?

Et on relit le texte, une fois, cinq fois, dix fois. Et on essaie de voir si, pour ce texte et dans ce contexte, telle hypothèse proposée est défendable, ou fantaisiste, ou proprement insensée. À force d'émonder les interprétations indéfendables, on se retrouvera avec des réponses très simples, très claires: 1. Le vaisseau, c'est le fort. 2. Ce vaiseau est aveugle, parce qu'un fort a habituellement très peu de fenêtres (On dit, par exemple, d'un mur qu'il est aveugle quand il n'a pas de fenêtre), ou s'il a quelques ouvertures pratiquées dans ses murs, ces ouvertures, ici, ne laissent filtrer aucune lumière, à cause du couvre-feu. 3. Ces oiseaux, ce sont les cris des sentinelles; et ce sont des oiseaux de mer, parce que le fort est un bateau flottant sur les vagues de sable des dunes du désert, tout comme un bateau flotte sur les vagues d'eau de la mer. Et les oiseaux qui volent au-dessus d'un bateau en mer décrivent habituellement des cercles, comme ici les cris relayés des sentinelles décrivent des cercles autour du fort puisqu'ils font le tour du fort à la façon d'une ronde.

Pour arriver à d'autres conclusions que celles-ci, il faut avoir, ou bien peu d'imagination et de jugement, ou bien en faire un mauvais usage.

Alors, Saint-Exupéry a-t-il dit ce qu'il voulait dire? Certainement. Mais pourquoi ne l'a-t-il pas dit de façon plus directe, sans recours à ces multiples images? À cette dernière question, plusieurs réponses intelligentes:

1. Pour donner au lecteur le plaisir de mettre en jeu son intelligence et son imagination, collaborant ainsi de façon active au phénomène de la création.

2. Pour relier ainsi l'océan du désert à l'océan de l'eau; vision cosmique probablement interdite au chameau.

> *Par moi*
>
> *Aucune chose ne reste plus seule mais je l'associe à une autre dans mon coeur.*
>
> Claudel

3. Parce que l'homme a inventé le langage non seulement pour dire d'évidentes banalités *(y fait bin beau aujourd'hui)* ou des pensées claires comme un tournevis, mais aussi ses rêves, ses fantaisies, son goût du jeu, bref, son âme, moins précise qu'un tournevis, mais, somme toute, aussi indispensable, si on décide de s'en servir.

Intermède rafraîchissant: *faut-il*? ou *faut-elle*?

Les féministes à poil raide qui veulent féminiser toute la langue, y compris les modes et les temps, sont en train de noyer définitivement bien des esprits déjà submergés entre deux eaux.

Je trouve cette perle antisexiste sur la copie d'un de mes étudiants mâles:

> *Je peut vous donner un exemple: une personne qui entreprend un métier, il faut ou elle faut qu'il ou qu'elle sache à avoir quelques problèmes de temps en temps et Saint-Exupéry espère que la personne pourra passer à travers.*

Youppi! Voilà un étudiant qui aura un long chemin à faire pour *passer à travers* les eaux de l'incohérence et remonter en surface. Ce *il faut ou elle faut*, à lui seul, plonge jusqu'aux bas-fonds de l'inconscience; en particulier parce que la conscience de ce barbu est embarbouillée, traumatisée par la possibilité de tomber dans l'antiféminisme. Il prend alors le maximum de précautions oratoires et, comme tout scrupuleux désaxé, s'enfarge dans sa barbe et donne tête première dans les gouffres de l'absurde.

Bientôt, il n'osera plus dire: il y a, il pleut, il neige, il vente fort, il fait beau. Il se sentira obligé de dire: il ou elle y a, il ou elle pleut, il ou elle neige, il ou elle fait beau (belle), il ou elle vente fort (forte). Et quand il ou elle parlera de plusieurs personnes, il ou elle dira: ils ou elles y ont, ils ou elles pleuvent, ils ou elles font beaux (belles), ils ou elles neigent, ils ou elles ventent forts (fortes). Alors, on aura peut-être extirpé le sexisme jusqu'à la racine; mais on aura du même coup extirpé la raison.

Déjà, à lire certains textes des syndicats ou de l'administration, je constate que, sous prétexte d'enterrer le sexisme, on plante la raison les racines en l'air. Un bon jardinier comme moi en a des frissons d'horreur, jusque dans ses racines. Il ou elle ne faudrait pas que ça (ou ce) continue trop longtemps; sinon, vous verrez des racines sortir par les oreilles de bien du monde. Car lorsqu'on trouve de ces racines sur les copies, c'est parce que les racines sont déjà bien enracinées dans le cerveau, en train de le digérer. Et ce n'est pas trois cours de français par semaine au cégep qui suffiront à enrayer la prolifération des racines dans ces esprits en compote et en compost. Il ou elle faudrait y penser! Il ou elle en est grandement temps!

CHAPITRE 9

LANGUE ET LIBERTÉ

«Apprendre sa langue, c'est apprendre la liberté.» (Jean Marcel, *Le joual de Troie*) Tout comme apprendre la dactylographie, le canotage, la menuiserie, ou n'importe quoi. Car tout ce qui diminue l'impuissance de l'homme augmente sa liberté. Pourtant, si tu dis à un étudiant (et à bien d'autres) qu'il augmentera sa liberté en maîtrisant sa langue maternelle, il te regardera probablement d'un petit air sceptique, et attendra des explications.

Il s'agit pourtant d'une évidence. Si la langue est paralysée, la pensée s'en trouve fortement affectée, parce qu'elle n'a pas d'outil d'expression approprié. Un sourd-muet, par signes, arrivera difficilement à parler de chimie, de physique nucléaire ou de philosophie; et avec deux cuillers de bois, il est bien difficile de traduire la musique contenue dans une symphonie ou même dans le chant d'un moineau. Avec un vocabulaire très réduit, on n'exprimera qu'une partie de ce qu'on veut dire, et de façon moins claire et directe; et si de sa langue maternelle on ne connaît que les mécanismes les plus banals, eh bien! on n'arrivera à exprimer sa pensée que de façon banale, homogénéisée, stéréotypée, pour ne pas dire constipée; on travaillera toujours à la pelle et à la hache, alors que très souvent on serait bien heureux d'avoir à sa disposition une aiguille, un cure-dents, un pinceau ou un plumeau. Avec des outils plus souples, plus raffinés, on serait plus libre d'exprimer la totalité de la pensée humaine qu'avec la pelle et la hache.

De même, quand on écoute ou lit quelqu'un d'autre; si j'en suis toujours à mon bagage linguistique de la maternelle, je comprendrai probablement tout, si c'est l'épicier qui me parle ou si je lis des bandes dessinées. Mais l'homme et la femme ne vivent pas uniquement d'épicerie et de bandes dessinées: s'ils veulent s'enrichir l'esprit par la pensée des autres qui parlent et écrivent, qui ont écrit et parlé, il leur faudra avoir développé un poste récepteur capable d'enregistrer autre chose que des messages d'épicier ou de disco. Et s'ils ne le peuvent pas, ils resteront plus ou moins ligotés d'ignorance et d'infantilisme sénile, quel que soit leur âge.

Enrichir, assouplir sa langue, cela veut dire, pour un étudiant et un enseignant, avoir suffisamment de maîtrise sur sa monture pour la faire évoluer différemment selon les circonstances changeantes, souvent imprévisibles. L'apprenti skieur s'en va en ligne droite, comme une locomotive; l'apprenti linguiste aussi. Ils n'ont pas le choix: leurs jambes et leur langue sont souples comme des béquilles, des madriers, des rails de locomotive!

Malheureusement, ou plutôt heureusement, la vie n'est pas une voie ferrée; et si tu fonces toujours en avant sur un bolide que tu contrôles mal, tu ne pourras pas tenir compte des accidents de terrain, et tu te prépares ainsi de jolis incidents de parcours. Ta maîtrise linguistique devrait te permettre de te sentir à l'aise à la taverne, au salon étudiant ou à l'ONU; ce qui suppose que tu puisses adapter ton vêtement linguistique aux circonstances changeantes. Il y a un vêtement adapté au fumier, quand il s'agit de bien mélanger le fumier à la bonne terre de ton potager; ce même vêtement ne sera plus tout à fait adapté si tu fais une promenade au clair de lune avec ta blonde. Ces choses-là se sentent, si l'odorat et le tact sont normalement développés, civilisés.

Il en est de même pour le langage: ce n'est pas par hypocrisie qu'on en change, mais par civilité, par souci d'adaptation, d'efficacité. Celui qui a eu la chance de développer suffisamment sa langue pour pouvoir l'ajuster à toutes les circonstances possède l'outil de communication le plus précieux; ce devrait être le cas, ou du moins l'objectif, de quelqu'un qui fréquente les écoles et pratique sa langue maternelle depuis douze, quinze ans. Après douze ans de pratique du ski, un skieur aurait une excellente occasion d'être honteux, si toute son habileté de skieur se limitait à éviter les maisons et les plus gros arbres.

«Car il n'y a que le langage qui rende égal. Un égal c'est celui qui sait s'exprimer et comprendre l'expression des autres.» (*Lettre à une maîtresse d'école*. Je signale au passage que cette lettre a été écrite par des jeunes Italiens de quinze ans qui réclamaient, entre autres choses, qu'on leur enseigne leur langue maternelle, au maximum.) Si tu sais parler, donc penser, tu te sens à l'aise avec quiconque, son égal sur l'essentiel, qui est la dignité de l'homme; tu pourrais parler demain à l'ONU, dans les assemblées réunissant ce que l'humanité compte de plus civilisé. «Car toute tête doit oser porter une couronne.» (Éluard) Par orgueil sot? Non. Par conscience de ta dignité. Mais à quoi servirait-il de porter une couronne d'or, si ton langage et ta pensée sont creux?

On voit par là ce qu'il faut penser de ces apôtres du minimum, qui invitent les Québécois à se contenter du seul langage parlé ou écrit par les agriculteurs ou bûcherons québécois du XIXe siècle; sous prétexte que toute autre forme de langage est nécessairement artificielle, importée, constipée, prétentieuse et creuse. Tout le monde à l'harmonica, à la bombarde, aux cuillers de bois! Défense d'apprendre la guitare, le piano ou le saxophone, instruments bourgeois, pédants, hypocrites!

S'il est stupide de vouloir que tout le monde soit tout le temps habillé de dentelles empesées et propres propres, il est non moins stupide de prétendre que les jeans déguenillés sont les seuls véhicules authentiques d'une pensée enfin libérée. La pauvreté est souvent beaucoup plus digne de respect que la richesse masquant un vide d'âme et d'humanité; ce qui ne veut pas dire qu'on doive faire de la pauvreté l'objectif principal d'une collectivité, et que l'on cesse d'être authentique le jour où l'on ne reçoit plus son chèque d'assistance sociale. Les assistés linguistiques volontaires ne sont pas plus dignes d'admiration ou de respect que les assistés sociaux volontaires.

Le plus comique — si on peut parler ici de comique —, c'est que ce sont le plus souvent des intellectuels, des universitaires, qui se font les propagandistes du langage au plus bas niveau; après avoir lu de gros livres difficiles d'accès comme *Le capital* ou les théories électriques de McLuhan. Ces messieurs se paient le luxe de lectures transcendantes; ils tirent leurs théories minimisantes de gros bouquins prestigieux; mais ils conseillent au *bon peuble* de se libérer en ne lisant rien d'autre que du joual, en ne parlant rien d'autre que le joual, en ne s'exprimant que par des signes, par l'audio-visuel ou par cette écriture au couteau qu'on peut lire dans les salles de toilettes publiques.

Cette contradiction, pourtant, n'a rien de mystérieux. Tous ceux qui ont intérêt à te dominer te stimuleront à rester pauvre en lecture, pauvre en parlure, et pauvre en écriture: ainsi, tu deviendras malléable à souhait, tripotable à souhait. Tu deviendras coagulé dans une masse docile, impuissante, que le Parti unique pourra manipuler à loisir. Ils t'auront convaincu de rester au niveau *du bon peuple*; après quoi, ils te mépriseront comme ils méprisent *le bon peuple* docilement manipulé par leur propagande.

Lis *1984* de Orwell. Tu y verras, entre autres choses, comment le *Big Brother*, avec son Parti unique et sa propagande omniprésente, inculque le culte de la haine des livres et s'ingénie à démolir le langage, à l'appauvrir systématiquement, pour que *le bon peuple* devienne le plus idiot possible, tout mêlé, incapable de penser et de s'exprimer autrement que d'une manière infantile.

Ils nous dirent Jetez vos livres
Un chien n'a que son maître à suivre

Aragon, *Marche française.*

Ce n'est pas un hasard si, dans toutes les dictatures, les premières victimes sont les poètes, maîtres de la parole. Les Castro, Pinochet, Hitler et Staline s'en prennent d'abord à ceux qui peuvent le mieux penser et écrire: un instinct sûr leur enseigne qui sont leurs plus dangereux ennemis. Et quand, en octobre 1970, au Québec, on veut casser toute tentative de libération, parmi les premiers Québécois que *râfle* la police des maîtres, on trouve le poète Gaston Miron et la chansonnière Pauline Julien.

Si tu restes pauvre de pensée et de langage, tu enrichiras toutes les formes de dictature. Si le premier flatteur venu réussit, comme le renard de la fable, à te convaincre que tu penses bien, que tu parles bien et que tu écris bien, tout fier de toi, tu ouvriras un large bec comme l'a fait le corbeau idiot, et tu laisseras tomber ton fromage, pour le plus grand plaisir et profit du renard. (Voir, au chapitre 13, ce qu'un de ces renards, Giuseppe Turi, peut te dire comme basses et stupides flatteries pour te convaincre d'avoir le bec grand ouvert comme une porte de grange. Si tu crois les flatteries des Turis et des Bergerons, tu marcheras tout le temps la bouche grande ouverte; et ta tête deviendra une grande chaudière vide. Alors, je te le promets, quelqu'un se chargera de remplir ta chaudière vide, non pas au compte-gouttes, mais au boyau de pompier. Tu t'es fait seau, valise, chaudière, cruche; on t'emplira comme on emplit un seau, une valise, une chaudière, une cruche, un réservoir Texaco.)

La liberté, c'est d'abord une attitude de l'esprit. La liberté, ce n'est jamais les autres qui te la donnent: tu te la donnes à toi-même. Toute liberté commence par une prise de conscience, une crise de conscience, un rejet de l'inconscience. Si tu veux libérer ta langue, libère d'abord ton esprit, ton âme.

Dans la mesure où ton esprit se libère, il voit le besoin de libérer sa langue, pour en faire un outil efficace de libération. L'homme qui prend une vive conscience de son esclavage est forcé de prendre la parole: la liberté qui lui brûle l'esprit et le coeur embrasera ses lèvres. Au contraire, le langage d'un esclave inconscient a toutes les marques de la servitude, de la soumission, du conformisme, de la banalité; la langue d'un esclave commence à devenir éloquente le jour où il décide de n'être plus un esclave, mais un homme. Il redécouvre ou recouvre la parole, en recouvrant sa dignité; et alors, tout spontanément, sa parole commencera à sonner plein, elle ressemblera à cette chose émouvante et vibrante qu'est la dignité, la conscience de sa personnalité. Ce qui souligne, une fois de plus, le lien étroit qui existe entre la qualité de la langue et la qualité de la pensée, de l'être.

L'être humain libéré ne pensera pas seulement à libérer son langage: il verra clairement, par exemple, qu'il est intolérable de se laisser administrer, exploiter par les autres; il ne souffrira plus d'être libre dans les choses mineures et muet dans les décisions majeures.

C'est ainsi qu'un peuple libre n'accepte pas de laisser à d'autres les grandes décisions qui affectent toute sa vie de peuple. Il n'accepte pas que, dans les forums internationaux, un autre prenne la parole à sa place, et en son nom. S'il est Québécois, il n'accepte pas qu'à l'ONU, ce soit toujours un Canadian qui parle en anglais au nom du peuple québécois, comme jadis tous les peuples colonisés d'Afrique et d'ailleurs parlaient au monde par la bouche de leurs colonisateurs. C'était éloquent, comme langage!

Quand tu n'as pas droit à ta parole, tu n'as pas droit à ta dignité d'homme: on te considère comme un mineur irresponsable, un minus, un incapable, un in-signifiant. Mais si tu prends la parole et parles comme un ouistiti, on n'hésitera pas à te renvoyer en cage.

Il se peut que tu sois l'égal d'un autre mais que, pour un moment, l'autre t'impose de force sa fausse supériorité (les Staline, les Bokassa, les Somoza, les Amin Dada et autres grands dadas n'ont jamais fait défaut à l'humanité); ta dignité, alors, c'est de combattre farouchement le gendarme à cheval qui veut t'enfourcher comme un quadrupède et qui te commande dans sa langue à lui. La seule parole efficace d'un homme monté par un cheval, c'est de prendre le mors aux dents, de revendiquer et de faire sa liberté. Un enfourché soumis parlera toujours creux; il dira, par exemple, avec Sir Georges-Étienne Cartier: «Un Canadien français, c'est un Anglais qui parle français.» ou «Ma patrie, c'est le Québec; mon pays, c'est le Canada.» De telles formules en décomposition n'ont pu germer que dans des cerveaux soumis, constipés de compote de citrouille. Telle langue, tel homme!

Langage poétique et liberté

L'AMIRAL

L'amiral Larima
Larima quoi
la rime à rien
l'amiral Larima
l'amiral Rien.

Jacques Prévert, *Paroles.*

Le langage poétique est celui qui est le plus libre, parce que c'est le plus vivant. Et vice versa.

Plus tu vis intensément, plus tu sens le besoin de briser les chaînes de l'artificiel, du conventionnel, de l'anonymat docile et insipide. Et tu brises aussi les chaînes du langage artificiel, conventionnel, anonyme, docile et insipide.

Le poète peut jouer avec le langage, parce qu'il n'en est plus l'esclave; il peut jouer avec la vie, parce que la vie n'est plus pour lui une borne de pierre, un mur de brique, un couloir, un tunnel, un organigramme programmé et surveillé par des formules scientifiques rigides comme des culasses de canons ou de moteurs.

Le poète chante, parce que la parole ordinaire, prosaïque, quotidienne ne suffit plus à dire son extase amoureuse face à la vie. Le poète danse tout nu devant l'arche, comme David; au grand scandale de sa femme Michol, guindée dans ses bonnes manières conventionnelles et fardée de ses *Ça ne se fait pas*!

Le poète fait le fou, pour rester normal. S'il marche parfois la tête en bas, c'est pour retrouver un autre équilibre que celui des vaches sages toujours à quatre pattes sur le plancher des vaches. Quand sa tête flotte dans les nuages, ce n'est pas nécessairement parce qu'il n'a pas *les pieds sur terre*, mais parce que l'être humain a une autre dimension que celle des quadrupèdes.

Pour avoir *la tête dans les nuages*, il faut avoir de solides racines. «Ça prend des racines pour avoir les pieds moins flottants dans ses bottines», dit Claude Gauthier; ça prend aussi des racines profondes pour s'élever haut sans flotter dans l'abstrait creux. Le poète est le plus enraciné des hommes, le plus terrien, le plus terreux, le plus sensible à la sève, au sang, à la chair.

Pour marcher sur un fil de fer, à cinquante pieds au-dessus du sol, il faut avoir développé un sens exceptionnel de l'équilibre. Le poète peut s'élever haut, bien au-dessus des têtes prosaïques, parce qu'il est équilibré, parce qu'il ne s'est pas coupé artificiellement de ses racines humaines pour ne plus vivre que de logique et d'abstractions. Pour bâtir ses créations, il fait sans doute appel à la raison (Shakespeare, Michel-Ange et Mozart ne sont tout de même pas des hommes de faible intelligence), mais aussi à l'imagination, à la sensibilité, à tous ses sens internes et externes. C'est son être humain entier qui est nourri de réalité; dans la moindre de ses oeuvres, on trouve le plus souvent des liens avec tout l'univers, l'univers matériel et l'univers intérieur de l'homme. «À l'aigle souverain est réservé le privilège de rythmer le sublime dialogue de la terre et du ciel.» Ce que F.-A. Savard dit de l'aigle, on peut le dire surtout du poète, pour qui le monde est un cercle parfait, «une close concordance», comme le dit Aimé Césaire. Cercle parfait et close concordance, parce que le poète vit au rythme du monde, connaît et goûte «l'exaltation réconciliée de l'antilope et de l'étoile». (Césaire)

Et voici, au passage, une histoire de quadrupèdes et d'un fou sage. C'est celle d'un Noir qui, au lendemain de l'élection de Jimmy Carter, voulut vérifier si les belles paroles de Jimmy sur les droits de l'homme pendant sa campagne électorale étaient autre chose que des nuages blancs sans consistance. Ce Noir, poète, intelligent, équilibré se rendit au temple où Carter et sa tribu prosaïque assistaient à l'office dominical. Évidemment, on lui interdit l'accès à ce temple d'hypocrites, «parce qu'il était noir». Et le Noir s'en va par les rues en méditant sur les droits de l'homme de Jimmy Carter et Cie. Il se plaint à Dieu d'avoir été mis à la porte de son église. Et Dieu, très sage, équilibré, poète, lui répond: «T'en fais pas: moi, ça fait plus de deux siècles que j'essaie d'entrer dans leur église...»

Cette blague noire, folle à souhait, est beaucoup plus sensée que le discours scientifique, sérieux, prosaïque de Jimmy Carter. Elle nous montre un Jimmy Carter tout nu et tout ridicule de faux sérieux et d'hypocrisie. La blague noire fait avec Jimmy Carter ce que Prévert a fait avec son amiral solennellement et amiralement creux. C'est la folie de Prévert qui est saine; c'est son langage fou qui est signe d'équilibre, de santé mentale.

L'amiral et ses admirateurs parlent en prose, une prose qui se veut claire, efficace comme l'entreprise de pinottes de Jimmy Carter. La poésie de Prévert, elle, sous ses apparences de folie, met à nue la folie de l'amiral, comme les fous de Shakespeare sont les gardiens de la raison à la cour des rois.

Encore faut-il savoir reconnaître les vrais fous de ceux qui font les fous. «Un fou, ce n'est pas un homme qui a perdu la raison; un fou, c'est un homme qui a tout perdu, sauf la raison», dit Chesterton. Ce qui en étonnera plus d'un. Pourtant, qu'on y songe un peu: un homme qui se laisse guider par la seule raison est une espèce de monstre mécanisé, insensible à la joie, à la tristesse, à l'amour, à la vie. Car joie, tristesse, amour, vie, bref, tout ce qui est important, échappe à la logique pure. On n'aime pas parce que la raison nous aurait dicté dix bonnes raisons d'aimer; et il serait trop facile et bête s'il suffisait que l'ordinateur, programmé par un esprit impeccablement logique, me donne mille raisons d'être heureux, pour que je sois heureux.

D'où l'urgente nécessité d'apprendre la folie aux étudiants; pour les déprogrammer, les libérer mentalement; pour qu'ils ne soient pas des organigrammopathes sérieux, dociles, bêtes. Pour les sortir d'une vision encadrée de la vie qui serait embarquée comme une locomotive sur les rails infaillibles de la science et de la productivité.

Dénoncer les fausses certitudes de la science, en faire voir les limites; initier au domaine infini du possible, du mystère, de l'imprévu, de l'inquantifiable, du non-mesurable, du non-rentable.

D'où l'extrême nécessité des disciplines *inutiles*, comme la philosophie, la littérature, la musique, les arts. Ces disciplines où l'homme se crée lui-même dans la liberté. Car si l'homme ne se libère pas par le haut, il se libérera tout naturellement par le bas: par les caisses de bière ou les voyages aux stupéfiants. D'où il reviendra stupéfié comme un veau et un peu plus enchaîné qu'il n'était parti.

Le langage poétique, entre tous, est le plus propre à libérer l'esprit par le haut, à le déprogrammer du banal, du stéréotype, de l'anonymat majoritaire et plat. Il n'y a pas de poème en série: chaque poème est unique, jamais vu, jamais entendu, unique comme le sapin est unique, farouchement distinct de l'érable ou de l'orignal. La poésie, c'est le chant, c'est la danse, c'est le jeu, c'est l'extase, toutes choses parfaitement inutiles, mais irremplaçables. Prive un peuple de chant, de danse, de poésie et de jeu pendant vingt ans, et tu l'atteins au plus profond de son âme, tu taris la source de sa vie intérieure, tu l'installes dans un hiver perpétuel, sans printemps, sans reprise de la sève, sans fleurs. Certes, il connaîtra encore l'enthousiasme: celui des ascenseurs, le vertige des gratte-ciel de l'efficacité et de la rentabilité; ses racines de métal, au lieu de charrier la sève, charrieront des flots d'information; il aura une merveilleuse mémoire mécanisée, intarissable comme celle de l'ordinateur.

La parole humaine n'est jamais plus haute, plus pure, plus humaine que lorsqu'elle s'enflamme suffisamment pour chanter en poésie. Un peuple qui ne produirait pas de poètes serait un peuple tiède, insipide.

«Eia pour la douleur aux pis de larmes réincarnées», dit Aimé Césaire pour décrire la douleur de sa race, les Noirs. Quel langage apparemment absurde! Quelle façon compliquée, alambiquée, de dire les choses! Il serait tellement plus simple de dire: «Pendant des générations, les Noirs ont été très malheureux!» Oui, ce serait tellement plus simple; mais parfaitement plat. Plat comme un bas de porte. Le poète, lui, réinvente le langage, recrée la réalité. Contrairement à ce que l'on pense, c'est lui le plus réaliste: réaliste, parce qu'il redonne au langage sa vertu signifiante; réaliste, parce qu'il te fait redécouvrir la vie chaude et palpitante sous la poussière de l'habitude. L'étudiant, pour comprendre et goûter ce vers d'Aimé Césaire, doit se débarrasser du langage mort, de l'imagination stérilisée et d'une vision monorail de la réalité; il doit ouvrir son esprit à celui du poète qui, pour parler de sa bien-aimée Lou, parle en même temps de la rose, du printemps, de la peinture, de la musique, de l'architecture, du sang versé et de *la noire et terrible volupté*. Autrement dit, le poète, au lieu de prendre une goutte d'eau et de l'étudier au microscope, en laboratoire, sous une plaque de verre, se laisse prendre par l'océan, plonge dans l'océan de la vie, non pas à la façon d'une pierre, mais d'un dauphin ou d'un nageur sensible à tout l'océan qu'il goûte par tout son être, et pas seulement par la mécanique abstraite de sa logique.

C'est connu: les grandes personnes aiment beaucoup les chiffres. Ça fait très sérieux, et ça donne l'illusion de savoir exactement de quoi on parle, de saisir exactement la réalité. Mais les chiffres, ce sont de petites fioles bien étiquetées, bien classées, dans lesquelles on a versé un peu de réalité, c'est-à-dire cette part de la réalité la plus superficielle, pour ne pas dire artificielle. Les chiffres rassurent, parce qu'ils sont plutôt bêtes; ils donnent l'impression qu'à force de quantifier, on arrive fatalement à la qualité. Apollinaire, lui, nous parle de sa Lou sans utiliser un seul chiffre: c'est grave! Un homme sérieux, un scientifique, nous aurait dit l'âge de Lou, son poids, sa grandeur, la mesure de ses hanches et de sa poitrine, combien d'enfants ou d'amants elle avait, la valeur de son compte en banque, le prix de son boa, le prix et l'année de sa Mustang; il nous aurait informé à loisir sur Lou, et toutes ces données chiffrées auraient pu être confiées à l'informatique qui nous aurait préparé sur Lou un examen très *objectif*, avec un multitude de questions et de réponses très scientifiques. Oui, mais quand vous aurez accumulé toutes ces fiches très précises et très scientifiques, vous ne saurez strictement rien sur Lou. Vous aurez eu l'impression très rassurante de saisir la réalité; en réalité, vous n'aurez saisi de Lou que son fantôme matériel; la vraie Lou vous aura échappé. Drôles de sciences exactes qui ne vous apprennent exactement rien, ou presque, sur l'essentiel!

Ce culte des seules données scientifiques a des conséquences graves, entre autres celle de bloquer l'intelligence, l'imagination, le coeur. «Si vous dites aux grandes personnes: «J'ai vu une belle maison en briques roses, avec des géraniums aux fenêtres et des colombes sur le toit...», elles ne parviennent pas à s'imaginer cette maison. Il faut leur dire: 'J'ai vu une maison de cent mille francs.' Alors elles s'écrient: 'Comme c'est joli!'» (Saint-Exupéry, *Le petit prince*) Oui, c'est du joli d'avoir tué son imagination à grands coups de chiffres, et de n'être plus sensible qu'à ce qui peut se mettre en chiffres!

Et si Apollinaire dit de Lou: «... tu es la poésie, chacun de tes gestes est pour moi toute la plastique, les couleurs de ta carnation sont toute la peinture, ta voix est toute la musique, ton esprit, ton amour toute la poésie, tes formes, ta force gracieuse sont toute l'architecture...», les gens sans imagination, sans coeur, ne voient rien. Lou, vue et louée par le poète, devient de plus en plus mystérieuse, c'est-à-dire: vraie. Le poète, apparemment, ne m'a rien appris sur elle; en réalité, il m'a rendu plus sensible à son mystère, à cet infini de signification qu'est tout être humain, ou même toute parcelle de vie qui, fatalement, est en relation avec tout le réseau inépuisable, insondable, de la vie globale, cosmique. Le poète m'ouvre au vertige du cosmos, il me fait voir que le brin d'herbe est enraciné dans les nébuleuses; il allume un phare dont les rayons balaient les profondeurs de cet océan qu'est ma vie intérieure. Je n'y vois pas grand-chose, mais au moins je soupçonne que je suis infini, ou presque. Et cette certitude vaut toutes les petites certitudes que m'apportent les sciences.

«Berçant notre infini sur le fini des mers», a dit Baudelaire. Car c'est l'homme qui est infini, du moins infiniment plus que toutes les mers et toutes les galaxies. Le poète, conscient de tous ces infinis, et surtout de l'infini humain, a la sagesse de ne pas vouloir enfermer l'océan dans ses coquilles, ses chiffres, ses fioles, ses équations, ses tableaux synoptiques. Il sait que toutes les sciences conjuguées ne peuvent faire une Lou, ni même un pissenlit; alors, il préfère de beaucoup goûter sa Lou, plutôt que de la soumettre à l'analyse du microscope, du télescope, du stéthoscope, du périscope, du stéréoscope, du baromètre, du pluviomètre, du pédomètre, de l'anémomètre, du galvanomètre, de l'ampèremètre et autres instruments très loués, mais fort déficients dès qu'il s'agit de chercher un peu plus loin que son nombril.

«L'homme est un animal raisonnable.» Voilà une définition célèbre, en apparence scientifique, objective, très raisonnable. Mais quand on y regarde d'un peu plus près, on se rend vite compte que c'est une formule d'une certaine utilité, certes, mais plutôt courte et creuse. C'est un peu comme si je disais: «La femme est un bipède logique.» Avec cette définition très raisonnable, tu ne connais pas grand-chose de Marie-Louise.

Il en est ainsi des évidences et des certitudes de toutes les sciences dites objectives: elles apparaissent d'abord comme des vérités indiscutables, des cercles parfaits comme une pièce de trente sous. Oui, mais si tu poses cette pièce de trente sous sur la vie, tu vois que cette petite théorie, parfaite comme un axiome ou un dogme, n'en couvre pas large et n'explique même pas une sauterelle.

Le poète sait cela d'instinct. C'est pourquoi, au lieu de poser des trente sous sur la vie, de la réduire en formules ou de l'enfermer dans des éprouvettes bien étiquetées, il plonge dans la vie et nage vers le large. Darwin trouve un fossile marin incrusté dans un rocher, à 12 000 pieds au-dessus du niveau de la mer; ça lui suffit pour remettre en question une foule de réponses considérées comme sacrées par la religion et la science du temps. Le poète, lui, remet tout en question, devant une grenouille, un brin d'herbe, un sourire, une larme; n'est-il pas alors le plus sage des hommes, le moins borné par les murs de carton ou d'acier des fausses certitudes?

Ceci, pour redire que l'étudiant a besoin de tout autre chose que de sciences dites exactes et que, pour l'ouvrir à l'univers et surtout à l'univers humain, la poésie, la littérature, l'art, toutes choses apparemment inutiles, sont encore ce qu'il y a de plus efficace.

Ces bains de vie, ce bouche à bouche avec la vie globale, nous en avons tous besoin pour rester vivants, sensibles, incarnés, «poreux à tous les souffles du monde, enracinés dans la chair rouge du sol, dans la chair ardente du ciel.» (Aimé Césaire) Malheureusement, c'est ce qui manque le plus à ce système qui se veut un *système d'éducation*. Nous éduquons la raison froide, la logique; nous mettons l'accent sur la quantifiable, le mesurable, sur les formules rigides, sur les tableaux synoptiques qui prétendent cerner le réel; mais peu de place pour la vie mouvante, pour la vie mystérieuse, pour cet univers de l'âme, pour tout ce qui échappera toujours aux instruments d'analyse les plus sophistiqués. Nous sommes des animaux fort raisonnables, très diplômés, mais peu humanisés. Nous roulons très vite sur les rails de l'abstraction; mais à cette vitesse, tous les arbres se transforment en poteaux, tous les humains deviennent robots et numéros.

L'anti-robot, c'est le poète, c'est le créateur, pour qui l'univers et lui-même sont toujours neufs, insondables et imprévisibles.

«Je suis sans nom ni visage certain», dit le poète; le prosaïque, lui, superficiel et plus ou moins aveugle, s'imagine que son nom et son visage sont clairs et certains comme le soleil étale en plein midi. Qui a raison? Voyons un peu. Je suis sûr de mon nom et de mon visage; mais quelle pâle certitude! Mon nom, c'est une étiquette absolument faitaisiste, fruit du hasard aux possibilités infinies. Mon nom ne peut rien pour moi; c'est moi qui au contraire lui donne un contenu, un sens. Mais moi, qui suis-je? Qui me le dira? Quand je vois mon visage dans un miroir, ce visage ne me renseigne en rien sur moi. Je ne suis pas plus mon visage que la girafe n'est son cou. Et si, par-delà cette mince pellicule de mon visage captif sur le miroir, j'essaie de saisir la réalité de mon être intérieur, je perds le contact, je suis pris de vertige comme celui qui, à travers la mince couche éclairée à la surface de l'océan, essaie d'entrevoir le fond des abîmes. Une mince couche de conscience, une buée vaguement éclairée, et, au-delà, les gouffres insondables de l'inconscience où fermentent le meilleur et le pire.

Le prosaïque, lui, n'y voit pas plus clair que moi, mais il veut donner le change: «Tu presses le chiffre pur à même tes mains ouvertes»; oui, tu as l'impression de te tenir en main, de te résoudre en chiffres bien intelligibles, tu t'imagines avoir déchiffré le monde et toi-même, d'avoir réduit la réalité en formules limpides. Tu as tout chiffré; mais tu n'as rien déchiffré. Tu as appelé *cheval* le cheval, tu l'as identifié; mais l'identité du cheval, la substance, l'être du cheval n'est pas contenu dans le mot *cheval*: tu aurais aussi bien pu l'appeler *Pompadour*, sans le déranger d'un poil. En réalité, dans tes mains ouvertes, pleines d'une belle assurance naïve, il te reste un peu de pollen des êtres, un souffle, une ombre, vite dissoute aux remous du cosmos.

Quand je dis *Je vis, j'aime*, je le dis avec une grande assurance, aussi longtemps que je n'arrête pas le flot des paroles pour entendre ce qu'elles disent. Quand je cherche à entendre ce qu'elles veulent dire, je n'entends plus qu'un faible écho. Qu'est-ce que le je? Qu'est-ce que vivre, aimer? Est-ce vous qui me le direz? Est-ce toutes les sciences conjuguées?

Alors, accuser les poètes de parler de façon obscure, c'est de la haute impudence: comme si les sciences, elles, parlaient de façon claire et savaient bien de quoi elles parlent!

Si les sciences savent de quoi elles parlent, pourquoi n'arrivent-elles pas à résoudre des problèmes simples et quantifiables comme l'inflation, le chômage, la distribution des richesses dans le monde? Et quand elles auront réglé ces problèmes enfantins, qu'elles nous disent, de façon claire, par quelle formule scientifique on peut assurer le bonheur de l'homme.

Le poète, lui, sait d'instinct et affirme sereinement que la vie déborde infiniment les petits moules des sciences. Il remet tout en question et, pour libérer la vie, bouscule tous les vendeurs de petits moules stéréotypés. Son apparente imprécision, celle même de la vie, est plus précieuse que tous les dogmatismes avec leurs axiomes infaillibles, imperméables et carrés.

Ce chapitre sur la langue et la liberté peut sembler trop long. Mais j'ai voulu prendre le temps nécessaire pour faire voir que l'apprentissage de sa langue maternelle est un précieux outil de libération. Être capable de s'exprimer, et avec bon sens, clairement, en toutes circonstances, devant n'importe qui, c'est un objectif très exigeant, mais combien libérateur! Si tu ne te donnes pas cet outil d'expression, d'autres parleront pour toi, et toi tu seras un handicapé volontaire, baragouinant des choses confuses, quand on attendait de toi une parole lumineuse.

Quant au développement sur la poésie et les arts en général, il est d'autant plus nécessaire que l'école d'aujourd'hui accorde de l'importance presque exclusivement à la mentalité, au langage scientifique, *langage de l'avenir*, comme on aime à le chanter. On oublie que les certitudes des sciences sont très incertaines; on oublie surtout que l'âme humaine ne se nourrit pas surtout de mathématique, de chimie, de physique ou d'informatique. La poésie, les arts en général sont là pour rappeler à l'homme que l'homme normal n'est ni robot, ni rabot, ni cabot.

Pour rappeler aussi que développer uniquement les *bosses* mathématiques et scientifiques, ça fait des bossus de la tête, inquiétants, très dangereux parce que déformés, incapables de voir l'homme, la société et la vie dans leur ensemble et leur mystère. Il n'est pas inutile de rappeler ici que la science, quand elle nous parle de l'homme du passé et qu'elle imagine l'homme de l'avenir, nous présente presque automatiquement des être horribles. Nos ancêtres, les fameux *hommes des cavernes*, inventés de toute pièce avec leurs massues et leurs sentiments de brutes, auraient été des *affreux*; et nos descendants seraient appelés à devenir de monstrueuses perfections techniques, agressives et froides. De même, quand elle nous invente des extra-terrestres, ces êtres ont toujours comme caractéristiques essentielles d'être horribles de corps et d'esprit. Laissée à elle-même, non équilibrée par une autre vision du monde, la vision scientifique dessèche le coeur et déboussole l'esprit. Ses *bosses* prennent volontiers la proportion des champignons atomiques: c'est très efficace pour stériliser la vie.

On n'a jamais tant parlé du dialogue et jamais l'on ne s'est moins soucié de la langue.

Le livre le plus révolutionnaire que nous puissions lire, c'est la grammaire. Si nous la mettions tous en pratique, l'atmosphère de la province en serait plus changée que par l'explosion de bâtons de dynamite!

Pierre Baillargeon, *Le choix.*

CHAPITRE 10

SCIENCES DU DOUTE ET DU RISQUE

L'enseignant peut-il transmettre à ses élèves une science qui leur soit plus utile que la science du doute? J'en doute.

Si, par exemple, à la fin d'une session, vous posez aux étudiants une question manifestement stupide, et qu'ils répondent avec sérieux, sous prétexte qu'un examen, c'est sérieux, qu'un professeur, c'est sérieux, et que tout imprimé mérite le respect, eh bien! vous aurez perdu votre temps à enseigner, et vos élèves auront perdu le leur à vous suivre. Bien plus, eux et vous sortirez de cette session un peu plus sots que vous n'y étiez entrés. «Ce qui n'est pas bien rare», me direz-vous. Bien sûr; mais c'est tout de même une bien triste consolation.

Si tu aimes ton métier, tu essaies de démystifier le métier de professeur, la foi aveugle au professeur. Parce que tu aimes la raison, tu attaches beaucoup d'importance au fait de savoir où et quand il faut dépasser la raison ou la mettre en doute.

Toute leur vie, les étudiants seront harcelés par la publicité et la propagande. L'opinion commune, qui est habituellement un condensé de non-sens, de sagesse gélatineuse, pèsera sur eux comme une montagne de glaise. Alors, s'ils n'ont pas développé leur esprit critique, ils seront troupeau docile, numéros interchangeables, citoyens conglomérés, bouillie idéale pour les *melting pots*, pour les embrigadements de la gauche, du centre ou de la droite, pour tout ce qui dispense de penser et récompense de ne pas penser. «Comment se faire des amis pour réussir dans la vie?» Le moyen le plus sûr, c'est de penser comme tout le monde, de sourire à tout venant comme un con, de multiplier les poignées de main et les bises, d'être gentil-gentil, par manque d'intelligence et de caractère. Mais faire systématiquement tout le contraire, par manque d'intelligence et de coeur, ce n'est pas une recette plus équilibrée, puisque, s'il est bête et servile de multiplier sans raison sourires et poignées de main, il est non moins débile de multiplier les coups de poing et de toujours mordre en coin. Autrement dit, il faut savoir juger et distribuer à bon escient ses taloches et ses caresses.

Certitude et doute: deux attitudes complémentaires

Rendre les esprits autonomes, sans leur imposer la voie de ta propre autonomie, voilà le défi majeur en éducation. Il n'y a pas d'éducation possible sans une grande passion chez l'éducateur, puisque l'enthousiasme seul fonde et féconde: engendrer à froid, c'est une triste entreprise vouée à l'avortement ou à la parturition de morts-nés.

Mais si tu enseignes dans l'enthousiasme, si tu aimes passionnément, tu es nécessairement partial. Tu ne peux présenter avec lucidité et passion que les choses qui t'émerveillent et t'émeuvent; mais alors, on pourra t'accuser de transformer en idoles tes propres amours, qui ne sont pas nécessairement les amours qui conviennent aux autres. Souvent, tu t'accuseras toi-même d'avoir la main trop ferme sur la bride ou l'éperon trop vif au talon, d'utiliser l'épée avec trop de fougue pour te frayer un chemin dans la jungle de l'inconscience satisfaite ou les rangs épais de l'ignorance militante.

Les esprits ne se cultivent pas comme les choux. Tout le monde en convient; mais, cette concession faite pour se donner bonne conscience et pour paraître large d'esprit, tout le monde, en fait, se met à l'oeuvre et cultive les esprits comme il cultive ses choux. Tout professeur modèle ses élèves comme tout artiste modèle ses mots, ses couleurs ou son argile, avec des mains à la fois fermes et caressantes. N'en déplaise aux psychologues scandalisés, qui interdisent toute forme d'intervention directe sur l'argile humaine à modeler: selon eux, l'argile humaine trouvera toute seule la forme à se donner. Mais si tu laisses ce qu'on appelle pompeusement *la créativité*, la spontanéité s'épanouir librement dans tous les sens, tu obtiens un beau fouillis qui n'a plus d'original et de spontané que l'incohérence; par contre, si tu coules l'originalité individuelle dans des moules communs, tu obtiens des boulons ou des carottes en série. Vieux dilemne: Jean-Jacques Rousseau ou Taylor? Les disciples de la Pentecôte ou la gang du Ku-Klux-Klan?

La neutralité, l'impartialité sont voies royales pour déboucher au royaume de l'in-signifiance. Pour signifier, il faut prendre farouchement parti, comme les choux, les genoux, les hiboux et les Sioux. La neutralité n'est pas une échappatoire: c'est un cul-de-sac. Plus tu es neutre, plus ton enseignement se dégrade en compromis mous et en démissions gluantes; à force de mettre de l'eau dans ton vin, tu finis par avoir un goût de limonade insipide. La nature, sage, protège ton cerveau d'une cuirasse osseuse; ce qui vaut mieux que le laisser s'épanouir en toute liberté d'une mer à l'autre comme une coulée de Jell-O. De même, elle garde ton coeur en cage, dans des limites très strictes, pour que tu ne sois pas tenté de l'avoir toujours sur la main, comme un politicien crétin en mal de popularité visqueuse.

Défendre passionnément ce qui te semble valable, et n'avoir aucune molle pitié pour ce qui te semble bête, voilà, jusqu'à ce jour, la seule formule qui donne des fruits, quel que soit le champ d'action où tu décides d'agir. Et jusqu'à preuve du contraire, les étudiants préféreront toujours un enseignant qui défend passionnément ses idées, parce qu'il en a, à un enseignant qui défend impartialement les idées de tout le monde et qui essaie de transformer la chèvre en chou, le non en oui, comme une nouille. Dis ce que tu as à dire, dis-le fortement; c'est encore la meilleure façon d'éveiller les esprits. Si tu contredis fermement les opinions des autres, avec bon sens, ils seront obligés de réagir fermement, de consolider leurs propres opinions, bref, de penser. C'est la vieille doctrine de Socrate, jeune comme le vieux soleil.

Si, par exemple, je présente aux étudiants deux poètes qui ont une vision tout à fait différente de l'homme et de l'univers, si chacune de ces visions est présentée avec lucidité et passion, je leur rends un meilleur service que si je ne leur présentais qu'un compromis mou entre ces deux visions. Je mets à la question leur passivité, leur fausse sécurité; il se peut, évidemment, qu'ils restent neutres, passifs comme une borne en ciment, enracinés stérilement dans l'indifférence; au moins, j'aurai fait ma part pour leur offrir un terrain où s'enraciner et produire autre chose que l'uniforme banalité de la famille Simard.

Toutes les disciplines enseignées au cégep sont-elles autre chose que des approximations, des hypothèses, des synthèses provisoires qui seront, demain, remises en question, remplacées par d'autres, aussi fragiles et provisoires? En même temps qu'il faut les connaître pour savoir le chemin parcouru par l'humanité et pour fonder son travail dans le présent, il faut surtout pouvoir les évaluer, c'est-à-dire les critiquer, pour éviter que des solutions transitoires n'apparaissent comme éternelles et bloquent ainsi les routes de l'avenir.

Il ne devrait pas être si difficile d'en convaincre les étudiants, si les enseignants en sont eux-mêmes convaincus. Mais il faut bien constater que les enseignants, par tradition, ne sont pas des révolutionnaires de la pensée; ils sont plutôt tout le contraire: des courroies pour la transmission des théories en place, en vogue. L'école transmet l'héritage du passé, s'occupe un peu du présent, et néglige presque totalement l'avenir.

Il faudrait au moins en être conscient pour démystifier cette fausse sécurité et donner de temps à autre le vertige, en menant le jeune au bout du quai pour lui faire voir que les quais solidement bâtis par l'homme ne mènent pas loin sur l'océan, et qu'avec une fusée interplanétaire, on ne s'enfonce pas bien creux dans le cosmos humain, ni même dans les nébuleuses du premier bipède raisonnable rencontré au bain ou sur la rue.

Poser souvent des questions essentielles, mais dont la réponse est obscure. Qui suis-je? Qu'est-ce que l'amour? En quoi consiste la dignité de l'homme? Et d'autres, apparemment farfelues, mais tout aussi intelligentes: Pourquoi le pissenlit? Pourquoi le rouge? Et les bonnes vieilles questions absurdes, pour développer le sens de l'équilibre, du bon sens élémentaire, assez bête mais indispensable.

Avec mes étudiants, nous avions travaillé pendant deux mois le plaidoyer de Cicéron contre le bandit Verrès, honorable ancêtre des Nixon, Al Capone, Bokassa 1er et Staline. Nous avions fait au passage quelques comparaisons entre l'éloquence de Cicéron et celle de Démosthène, précisé les lieux où Verrès avait exercé ses talents de crapule, et rappelé les principaux personnages politiques de Rome qui avaient intérêt à voir Verrès acquitté ou condamné. Arrive l'examen final sur cette oeuvre magistrale, aussi passionnante que l'enquête sur le Watergate. Je pose cinq questions solides pour vérifier si mes étudiants ne font pas dire n'importe quoi à la langue de Cicéron; puis, entre ces questions substantielles et sensées, je glisse des questions plus stupides les unes que les autres: Pourquoi Verrès fit-il incendier l'Adriatique? Que fit Sylla, la femme de Verrès, au cours du procès? De quel côté se rangea Démosthène pendant le débat au Sénat? L'étudiant avait en main son livre, où il pouvait voir assez facilement que ces questions hautement fantaisistes et même bouffonnes n'avaient aucun sens. Mais il s'agissait d'un examen, les questions étaient imprimées: à peu près tous les étudiants se crurent donc obligés de répondre sérieusement à des questions idiotes.

La correction d'un tel examen marque une étape majeure dans le développement intellectuel d'un jeune. Quand il regarde sa carte de l'Italie, à la page 3 du livre, et voit que l'Adriatique est une mer de 500 milles de long sur 130 de large, il se dit qu'il a été un long et large con pour avoir cherché dans la ténébreuse psychologie criminelle de Verrès un motif expliquant l'incendie d'une pareille étendue d'eau. De même, quand il se rappelle que Démosthène avait vécu en Grèce, quatre siècles avant Verrès, et que Sylla était un dictateur de type Bokassa 1er, mort quinze ans avant le procès de Verrès.

Et alors, vous leur posez oralement deux questions pour prolonger les effets salutaires de cette cure par l'absurde: 1. Quand tu ne sais pas, qu'est-ce que tu réponds? — Je réponds que je ne sais pas. Et c'est la seule réponse intelligente. Je n'essaie pas de faire le finfin en écrivant dix lignes ou cinq lignes de texte insensé, avec l'espoir que le professeur idiot m'accordera quelques points parce que je n'ai pas fait *trop de fautes de français*! 2. Quand la question posée est idiote, qu'est-ce que tu réponds? — Je réponds que la question est idiote; et je prouve rapidement en quoi elle est idiote. Et je ne prends pas de gants blancs pour le dire!

Très bien. Vous voilà avertis pour le reste de votre vie. Il vous restera maintenant à savoir faire la distinction entre une question insensée et une question intelligente; car autrement, vous verrez des questions idiotes partout, ce qui ne vaut guère mieux que de ne pas les voir quand elles se présentent. Et ce qui est vrai des questions, est également vrai des personnes et des réponses, les vôtres, les miennes, et celles de tous les autres.

Les esprits mesquins vous en voudront à mort, et pour toute leur vie, de les avoir fait monter jusqu'au sommet de l'absurde où ils ont complaisamment étalé leurs fesses nues sous les pleins feux de la rampe. Les esprits honnêtes sont également piqués au vif, mais ils tournent leur agressivité, non pas contre vous, mais contre eux-mêmes. Ces derniers seuls apporteront une contribution utile à l'espèce humaine; les autres s'appliqueront toute leur vie à sauver la face, c'est-à-dire leurs fesses.

Avec les étudiants d'aujourd'hui, je n'ai plus l'occasion d'utiliser le bandit Verrès pour leur enseigner la science du doute et l'honnêteté intellectuelle; mais les sujets disponibles sont là, à profusion. Il n'est pas si difficile qu'on pourrait le penser à première vue, de faire admettre à la moitié des étudiants d'un groupe que le Maine est borné au Nord par l'Afghanistan et au Sud par le Nigéria; ou que Trudeau a signé un traité d'alliance avec Wolfe au lendemain de la bataille d'Abraham; ou que le subjonctif du verbe *être*, au féminin, donne: Je soie, tu soies, elle soite, nous soyons, vous soyées, elles soitent. Essayez!

Une autre méthode hautement réprouvée par les psychologues mollement philanthropes, c'est, à propos d'une question intelligente et quelque peu difficile, de fournir à l'étudiant des éléments de réponse apparemment inoffensifs qui, s'additionnant les uns aux autres, finissent par conduire, eux aussi, au royaume fulgurant de l'absurde. Le réveil est aussi brutal que salutaire: tout flatteur vit aux dépens de celui qui l'écoute; reste donc lucide, pour n'être pas le jouet docile de ceux qui te guident en douceur vers le précipice de l'absurde; et ils sont prolifiques comme les moustiques. *On n'a pas toujours vingt ans!* Heureusement!

«Je mourrai un peu moins sot que je ne suis né», dit un personnage de Marguerite Yourcenar dans *L'oeuvre au noir*. C'est encourageant; mais ce n'est pas automatique, loin de là. J'entendais, un jour, une dame de 94 ans proclamer fièrement qu'elle avait toujours voté libéral (à cause de Sir Wilfrid Laurier et de son père, triple con, qui, sur son lit de mort, lui avait fait jurer de rester toujours fidèle à Laurier siré). Par fidélité conne, elle mourra un peu plus sotte qu'elle ne l'était à sa naissance, et n'aura vécu si longtemps que pour ajouter un centenaire à la bêtise humaine. Bête à quinze et vingt ans, c'est normal: tout le monde y passe! Mais un vieillard bête, c'est le plus triste des spectacles.

Le risque créateur

Mieux vaut être gauche et vivant, qu'élégant et mort! Un caneton, tout frais sorti de l'oeuf, est gauche à souhait, *couetté*, titubant, avec des ailerons dérisoires et des palmes qu'il soulève avec la grâce d'un citadin chaussant pour la première fois des raquettes sur l'asphalte. Mais il est vivant et, grâce à cette vie fragile, plus émouvant que tous les canards et flamants de plastique rose exhibés sur le gazon bien peigné d'un riche parvenu au comble du mauvais goût. Et un poulain, tout dégingandé et tout poisseux de placenta, sera toujours plus digne d'intérêt qu'un beau grand cheval de bois comme le Prince Philippe. Et vive la reine!

Le goût du risque, c'est peut-être une vertu de la jeunesse, mais sûrement pas de la jeunesse quand elle fréquente les institutions d'enseignement; car alors elle devient presque automatiquement d'une prudence sénile, attentive à obtenir de *bonnes notes* par les voies les plus sûres, c'est-à-dire les plus plates. Ce qui est une voie sûre pour cultiver la médiocrité.

Et sur ce point, les étudiants les plus studieux et tendus sont aussi menacés que les cancres très détendus. L'idéal d'avoir de *bonnes notes* est aussi déformant que la sainte loi du minimum.

Quand un étudiant *fort* choisit presque fatalement les voies sûres pour augmenter ses chances d'avoir une *bonne note*, c'est un devoir civique pour le professeur de lui bloquer ces voies faciles et de le convaincre de s'engager hors des sentiers battus et sécurisants. «Ta note diminuera peut-être de 10%, 15%; peut-être même auras-tu un échec partiel cuisant: mais au total tu y gagneras en initiative, en personnalité, en créativité. **Impossible de créer autrement que dans le risque, l'inconnu, le doute et l'insécurité**. Si tu ne prends pas de risques, tu ne créeras rien, tu deviendras un esprit modèle, bien aligné, bien conforme, neutralisé. Singe bien savant, perroquet bien programmé, femme modèle selon Woolco, White Swan et les Yvettes; homme idéal selon Labatt, Playboy, Chrysler et les beaux gars souriant en couleur des catalogues Sears.»

Vérités un peu moins douces que Cottonnelle et moins exaltantes que le poulet frit de feu le colonel Sanders, mais qui dérouillent, décrassent, désankylosent, sortent le poisson de l'aquarium pour le jeter à la mer: *Homme libre, toujours tu chériras la mer*!

L'étudiant, plus ou moins consciemment, souhaite, exige même qu'on le nourrisse à la cuiller. Il veut qu'on lui explique tout; il n'aura plus alors qu'à mémoriser ce qu'on lui aura expliqué. «Programme-moi; après, je pourrai répondre à toutes tes questions, comme un ordinateur.»

Certes, il faut expliquer; mais la tentation et le danger, c'est de trop expliquer, rendant ainsi l'étudiant passif. Pour comprendre ce qu'on m'explique, je dois faire un effort; mais comprendre par moi-même, c'est beaucoup plus efficace pour le développement de mon esprit.

Le plus souvent, l'étudiant, par ses propres efforts, peut comprendre l'essentiel des problèmes proposés à sa réflexion; car je suppose qu'ils ont été choisis parce qu'ils sont *à sa portée*. Alors, pourquoi ne pas exiger que l'étudiant fasse d'abord l'effort personnel d'explorer le champ de connaissance qu'on lui propose? Qu'il lise *d'abord* ce roman, ce chapitre de physique ou d'histoire; le professeur interviendra *après*, pour rectifier, élargir, approfondir les réponses trouvées. Faire confiance à l'intelligence de l'étudiant, lui donner le goût de se passer de la cuiller du professeur. Au début, l'étudiant réclame à grands cris cette damnée cuiller, pleine de purée bien *mâchée*. Ou, pour varier l'image, il est angoissé si on lui enlève les béquilles du professeur et qu'on l'oblige à utiliser ses propres jambes. Il préfère de beaucoup ne pas prendre de risque, s'avancer en toute sécurité, avec les béquilles du professeur, sur un terrain bien déblayé, *tapé* par le professeur. Assez tôt, pourtant, il découvrira le plaisir de marcher avec ses propres jambes, de nager par lui-même, au lieu d'être toujours pris en remorque par le moniteur.

Il est vrai que l'étudiant est encore au stade de l'apprentissage; on ne lui demande donc pas de réinventer à lui tout seul les sciences et les lettres, ou d'être à l'avant-garde de la recherche. Mais si on le nourrit passivement, il comprendra moins bien, et surtout on tuera chez lui l'initiative. Pourtant, face aux problèmes que lui pose la vie, et qu'elle lui posera toujours, les connaissances acquises seront toujours nettement insuffisantes; il devra sans cesse improviser, remettre en question, trouver des solutions nouvelles aux problèmes sans cesse changeants. S'il n'a pas appris à partir du connu pour aller vers l'inconnu, il pensera et agira en ordinateur programmé, avec des réponses toutes faites, c'est-à-dire toutes mortes.

Évidemment, le professeur peut faire beaucoup pour donner cette habitude du travail actif, personnel; mais l'étudiant, s'il est lucide, et s'il n'est pas un militant du minimum, peut lui aussi faire beaucoup pour se donner cette autonomie de pensée. Comment?

1. Ne pas se cramponner à la cuiller et aux béquilles du professeur.

2. Se convaincre qu'il est **le premier responsable de sa formation** et que, s'il compte surtout sur les autres pour lui donner une forme, il restera informe ou aura la forme qu'on lui donnera. Il aura la forme Firestone, K-Tell, White Swan ou New Wave. Si tu peux, sans trop de risque, confier ta chevelure au coiffeur, il n'est pas bon de lui confier le soin de te faire une tête. Il faut (ou elle faut) avoir une tête de poule ou de coq pour attendre du coiffeur qu'il te mette du plomb dans la tête. Mieux vaut prendre ta tête en mains et lui donner toi-même la forme que tu auras choisie.

CHAPITRE 11

LE FRANÇAIS S'APPREND PARTOUT; MÊME AU CÉGEP?

Nous avons tous appris à parler avant de nous rendre à l'école. Et nous continuons d'apprendre à parler, à lire et à écrire, en dehors des cadres scolaires; surtout en dehors des cadres scolaires. Mais à l'intérieur de ces cadres, toutes les disciplines enseignées peuvent contribuer à l'amélioration de la langue. À une condition: qu'on tienne compte de la langue. Est-ce le cas?

Dans les pays où la langue maternelle jouit d'un statut aussi évident et indiscutable que le ciel et les montagnes, où elle produit depuis des siècles des chefs-d'oeuvre reconnus et connus de la collectivité, où la qualité de la langue est considérée comme une valeur déterminante dans les relations sociales, il est tout naturel que tous les enseignants soient attentifs à la qualité de la langue. Même inconsciente, cette conviction exerce une forte influence. Inutile, dans ces conditions, de légiférer pour que tous les enseignants se préoccupent de la langue maternelle dans leur enseignement.

Au Québec, c'est une tout autre situation. Nous sommes probablement le seul peuple au monde où le gouvernement a dû voter une loi solennelle pour affirmer solennellement que la langue de ce peuple était la sienne. C'est assez dire à quelle profondeur de confusion ce peuple était descendu, sous la pression de deux cents ans de soumisson plus ou moins servile, d'assimilation sournoise, de désintégration mentale. Et ces dernières années ont été tout particulièrement fertiles en manoeuvres d'avachissement.

Celui qui s'imagine qu'au Québec les francophones pensent et s'expriment tout naturellement en français est une victime inconsciente de la confusion. C'est le contraire qui est vrai: au Québec, pour penser et s'exprimer correctement en français, il faut réagir fortement contre son naturel, car ce naturel est tout naturellement confus. Si nous suivons notre naturel, il nous mène presque fatalement à la confusion. Par exemple, c'est un travail de toute une vie, au Québec, d'apprendre à utiliser les mots avec quelque peu de précision et avec les genres appropriés. Ainsi, le Québec est le seul pays francophone où presque tous les autobus, les avions et les hôtels sont du genre féminin; allez donc savoir pourquoi les Québécois, d'instinct, utilisent le mauvais genre! D'instinct, donc, nous allons au mot vague, à l'à peu près. Et si les mots sont obscurs, que dire des constructions de phrases ou de la construction des idées?

> *Car le péril est dans nos poutres, la confusion*
> *une brunante dans nos profondeurs et nos surfaces*
> *nos consciences sont éparpillées dans les débris*
> *de nos miroirs, nos gestes de simulacres de libertés.*
>
> Gaston Miron, *L'homme rapaillé*.

«Mais on arrive à se comprendre; ça suffit!» Oui; mais très souvent grâce à une molle complaisance qui permet aux interlocuteurs de s'imaginer avoir compris ou s'être exprimés clairement, alors qu'un francophone lucide qui suivrait cette conversation se demanderait très souvent de quoi parlent ces deux interlocuteurs épanouis comme chats miaulant au clair de lune et semblant se comprendre à merveille. Son incompréhension ne viendrait pas de sa mauvaise volonté, mais de son instinct de clarté: il ne comprend pas ce qu'il entend, parce que ce n'est pas clair.

Ce qui explique, en partie, pourquoi pas mal de Québécois éprouvent une sourde rancune contre *les maudits Français*: ils s'indignent de voir que ce maudit Français ne veut pas comprendre quand ce n'est pas compréhensible. Un Québécois dit: «*Mon char consomme 30 milles au gallon*.» Et un Français qui l'entend va lui demander: «*Et ta soeur*?» Notre Québécois, piqué au vif, s'imagine qu'on se moque de sa soeur, et passe rapidement aux injures: «*Toé, tabarnac, tu comprends rien*!» Il ne lui vient pas à l'idée qu'un char qui consomme 30 milles au gallon, c'est un non-sens. Deux Québécois, eux, comprennent très bien cette expression; mais qu'est-ce qu'ils comprennent au juste? Ils se comprennent, parce qu'ils ne sont pas très exigeants sur le sens des mots et le contenu des idées. D'une certaine façon, cette complaisance simplifie la vie et la communication; mais elle les complique singulièrement à partir du jour où tu éprouves le désir, fort légitime lui aussi, de comprendre un peu mieux la pensée des autres, et la tienne surtout.

«Oui, mais les enseignants québécois sont bien au-dessus de la moyenne québécoise: eux ils connaissent bien leur langue maternelle.» — Erreur, mon cher Watson! La plupart des enseignants québécois sont comme moi: pour parler et écrire convenablement, ils doivent faire de grands efforts, réagir contre des vices profondément enracinés et grassement nourris par le milieu. Et s'ils ne font pas cet effort, tout spontanément ils parlent et écrivent confusément.

«Les Belges et les Français aussi», me direz-vous. Oui, le Belge et le Français qui veulent parler comme de Gaulle, écrire comme Montherlant ou Brel et Brassens doivent se lever de bonne heure et se coucher très tard pendant très longtemps; et il n'est pas sûr qu'ils seront bien récompensés de leurs efforts. Parce qu'ils devront élever leur pensée et leur langue à la noblesse du style, c'est-à-dire de l'originalité. Du moins n'auront-ils pas à se battre avec les rudiments de la langue: la civilisation où ils baignent fait ce travail pour eux; ils en sont les héritiers inconscients; il leur reste à bâtir leur propre maison sur ce roc héréditaire solide.

L'enseignant français n'a pas étudié dans des manuels moitié allemands, moitié français, comme la plupart des enseignants québécois ont étudié moitié en anglais, moitié en français, avec, par exemple, des traductions faites en français par des gens qui savaient peut-être un peu d'anglais mais ignoraient surtout le français. Et je suppose qu'ils doivent être extrêmement rares les professeurs russes ou français obligés d'enseigner l'électronique à leurs étudiants à partir de manuels unilingues anglais, comme c'est le cas au Québec.

Je viens de parler de la corruption de la langue causée par le concubinage avec l'anglais. Il y a bien d'autres sources de corruption, et l'anglais n'est sans doute pas la principale. La principale, c'est peut-être cette habitude bicentenaire de paresse intellectuelle qui s'est développée chez nous par manque d'accès aux oeuvres littéraires et aux activités de pensée qui s'épanouissent normalement chez un peuple normal. Mais nous ne sommes pas un peuple normal (la nécessité de la Loi 101 le prouve éloquemment); notre peuple a été bloqué dans son évolution, à tous les niveaux de son activité, pendant plus de deux longs interminables siècles colonisés.

Notre langue n'a pas suivi l'évolution normale qu'elle a connue en France et dans les autres pays francophones au cours de cette période. Tout comme notre musique, notre art, notre industrie, notre politique, notre religion, toute notre culture. Nous avons survécu. C'est admirable, bravo! Et je le dis sans aucune intention d'ironie. C'est seulement depuis une quarantaine d'années qu'on ne parle plus de *survivance* de la langue française en Amérique du Nord. Quand un peuple consacre le meilleur de ses énergies à survivre, il ne lui reste plus beaucoup de temps pour vivre. Dans ses rares loisirs, il jouera de la bombarde, lira *L'almanach du peuple* et les catalogues ou composera *Le reel du pendu*, au lieu de lire Shakespeare, d'écouter Beethoven ou de composer *La légende des siècles*. Les grandes révolutions littéraires, artistiques, politiques, industrielles, scientifiques, culturelles passeront au large de ses horizons culturels paroissiaux. Ce qui ne veut pas dire qu'il sera sans culture — par la force des choses et de l'espèce, tout groupement humain développe une culture —, mais il ne faudra pas s'étonner si, le jour où il reprend contact avec la civilisation moderne en marche, ce peuple accuse quelque retard, assez visible pour qui se donne des points de comparaison hors de son village.

Précisons. Ne serait-il pas normal qu'un enseignant diplômé de l'université et qui enseigne la philosophie, ou la physique, ou le français, ou n'importe quelle autre discipline, depuis dix, quinze ans, songe à faire part de ses découvertes, de sa création, dans le domaine qui est le sien? S'il se contente de ruminer ses manuels importés, de remanier ses plans de cours, de se renouveler par-ci par-là, au hasard des colloques et des congrès, c'est assez maigre comme activité intellectuelle.

Si vous réunissez cent de ces haut diplômés, et que vous ne discerniez pratiquement aucun signe de création intellectuelle, c'est assez triste comme bilan; et vous en tirez la conclusion toute normale: ce milieu intellectuel vit au ralenti. Et si les enseignants de ce haut niveau vivent au ralenti, imaginez donc comment vivent les étudiants de ce milieu! Et si vous avez l'indiscrétion de vous demander quelle langue on parle et on écrit dans ce milieu, vous aurez la désagréable surprise de constater que la qualité de la langue est en relation étroite avec la qualité de la pensée. Il serait en effet bien étonnant de trouver une langue étonnante de vitalité là où l'activité intellectuelle souffre de paralysie.

Il faut une certaine élévation de la température pour que la glace devienne eau. Quand tu vois des banquises, pas besoin d'être un Einstein de la physique mentale pour conclure qu'il fait passablement *fret* dans ce coin-là de la planète. Quand les projets accumulés par les enseignants commenceront à former embâcle au Comité d'aide à la création du cégep, ce sera un signe que les pensées et les langues des enseignants commencent à dégeler suffisamment pour disloquer la glace. Souhaitons-nous pour bientôt ce lointain printemps.

En attendant, si on me dit que dans toutes les disciplines enseignées au cégep nos étudiants améliorent leur langue maternelle, je prends avec trois grains de sel cette affirmation plutôt humoristique. Prendre cette affirmation trop au sérieux serait jouer au jeu de l'autruche ou du canard en plongée. Et je persiste à croire que, dans chaque discipline, chaque enseignant, s'il est lucide et relativement habile dans l'expression orale et écrite de sa pensée, aura beaucoup à faire pour amener un grand nombre d'étudiants à exprimer leur pensée de façon claire dans une langue honnête. S'il ne se préoccupe pas de cet aspect essentiel de la formation de l'esprit, il devrait changer de métier, en prendre un autre qu'il pourrait exercer honnêtement, celui d'épicier, par exemple, au lieu de contribuer fort efficacement à perpétuer le culte de la confusion mentale et de la médiocrité.

Je reçois un étudiant qui vient se plaindre de ses notes faibles en français; «Pourtant, dans les autres matières, j'ai de bonnes notes! — Ah oui! Peux-tu me faire voir un des travaux qui t'ont mérité une bonne note?» Et, tout fier, il me présente une copie avec une sacrée bonne note: 9/10. Une page de texte; le professeur a signalé à l'encre verte *les fautes de français*, une quinzaine. Je lis le texte; très souvent, les phrases titubent comme un ivrogne, et deux paragraphes sont tout bonnement incompréhensibles. Ça ne fait rien: ce ne sont pas là des *fautes de français*, et le professeur n'a pas cru bon de signaler ces peccadilles et d'en tenir compte dans son évaluation. Est-ce qu'il s'agit là d'un cas exceptionnel? J'aimerais le croire; mais je n'en suis pas du tout convaincu.

Ce professeur se défendrait avec passion: «Je ne suis pas un professeur de français! Je ne suis pas payé pour enseigner le français!» Etc. On peut tout de même lui rappeler qu'il doit être un professeur de bon sens. Si, en plus de ne pas enseigner la langue qu'il utilise et qu'utilisent ses étudiants, il n'enseigne pas le bon sens, que diable enseigne-t-il? Ai-je tort de conclure que s'il ne surveille pas la qualité du français, c'est précisément parce qu'il ne surveille pas la qualité du bon sens, même dans la discipline qu'il prétend enseigner? Il protestera encore énergiquement: «Je suis un professeur compétent! J'ai mon diplôme! Le cégep m'a jugé compétent, puisqu'il m'a engagé!» Etc. La belle affaire! Comme si le diplôme ou le cégep donnaient la compétence! Tu es compétent, dis-tu, et tu donnes 9 sur 10 pour un travail bourré de *fautes de français* et surtout bourré de pensée à l'état de guimauve fondante?

L'étudiant, lui, m'apporte ce 9 sur 10 comme preuve que moi je suis un tyran, car je lui donnerais au plus 3 sur 10 pour un pareil travail, que ce soit en histoire, en français, en psychologie, en administration ou en n'importe quoi! L'ignorance militante, dont je vous ai déjà parlé, c'est ça. Et ce militantisme, s'il est un vigoureux stimulant à la médiocrité pour l'étudiant, ne stimule pas moins fortement la médiocrité chez l'enseignant. J'aimerais que ces deux militants conjuguent leurs médiocres efforts pour me prouver le contraire. Certes, ils ont pour eux une majorité écrasante, militante, agressive, solidaire à mort. Est-ce une preuve qu'ils ont raison? S'il suffisait d'avoir la majorité pour avoir raison, ce serait vraiment trop facile. As-tu deux minutes pour y penser et t'en convaincre pour le reste de ta vie?

Est-ce que je me trompe en disant qu'au cégep, actuellement, un très grand nombre d'étudiants s'avancent sur des béquilles dans toutes les disciplines? Si un étudiant, à mes cours de français, n'arrive pas à comprendre un texte simple; si, sur un sujet de réflexion simple, faisant partie de son expérience, il me délivre une pensée incohérente dans une langue inconsistante comme un gruau délayé d'encre, eh bien! suis-je en droit d'en conclure que ce gars-là doit en faire de belles en philosophie et dans toutes les autres disciplines? Certes, il arrivera probablement à *passer à travers* le collégial, comme il a *passé à travers* le secondaire. Et son esprit en ruine porte toutes les marques de ces différents *passages à travers*. Il ira donc grossir les rangs de l'ignorance diplômée, satisfaite et militante.

CHAPITRE 12

PROGRAMMES ET PÉDAGOGIE ADAPTÉS?

Les programmes d'études des cégeps sont-ils adaptés? Et la pédagogie des enseignants de ce niveau est-elle adaptée? Deux questions complexes et troublantes. Disons d'abord que ce sont là deux questions majeures, essentielles. L'école a dû et devra se poser continuellement ces questions, puisqu'elle a pour mission de transmettre l'héritage du passé, d'éclairer le présent et de préparer l'avenir; ce qui fait qu'elle est tiraillée en tous sens et doit constamment s'adapter aux vagues mouvantes de la civilisation toujours inachevée, toujours à réinventer.

Au Québec, ce ne sont pas les chambardements et les essais d'adaptation de l'école qui ont fait défaut depuis vingt ans. Et j'imagine qu'à chacune de leurs rencontres annuelles, les professeurs, dans toutes les disciplines, se posent les deux questions soulevées plus haut. Et les professeurs ne sont pas les seuls angoissés: les parents, le patronat, les ministres de l'Éducation, les journalistes et les étudiants le sont aussi. Les articles de Lysianne Gagnon sur la situation du français dans les polyvalentes et les cégeps ont soulevé de jolis remous; car elle diagnostiquait une médiocrité effrayante.

Mais on pouvait toujours se consoler en se disant que si le français était médiocre, les autres disciplines, elles, étaient en très bonne santé. Oui, elles se portaient très bien, uniquement parce qu'on ne s'avisait pas de les soumettre à la question comme on avait soumis le français à la question. Un esprit quelque peu lucide savait déjà que si la langue maternelle est médiocre, tout le reste est de même qualité. Mais il ne s'en trouvait pas beaucoup pour le voir et le dire. Les autres se disaient que c'était la pagaille dans la langue maternelle, mais que dans les autres disciplines, surtout les disciplines scientifiques qui faisaient l'orgueil de la nouvelle civilisation, les étudiants étaient en très bonne santé.

Belle illusion! Une enquête récente vient de révéler que la même pagaille et la même médiocrité se retrouvent dans les sciences. *École + Science = Échec*, tel est le titre de cette enquête dynamite de Jacques Desautels parue aux éditions Québec Science. Il fallait s'y attendre. Mais, apparemment, très peu s'y attendaient, même (et surtout?) chez les professeurs de sciences. Il nous reste à attendre qu'un autre Sherlock Holmes aille faire enquête du côté des sciences humaines et étonne les naïfs par les résultats de ses découvertes.

Les professeurs de français ne sont pas des spécialistes des enquêtes scientifiques, menées avec rigueur, statistiques et diagrammes bien huilés à l'appui. Pourtant, ils ont toujours su qu'un étudiant incapable de saisir l'essentiel d'un paragraphe limpide de *Terre des homme* ou du *Soleil*, incapable de mener sa propre pensée jusqu'à la fin de la phrase et de combiner logiquement deux de ses paragraphes, bafouillera de même quand il aura à suivre la pensée d'un philosophe, d'un physicien, d'un historien, d'un mathématicien, d'un sociologue ou de tout autre.

En sorte que si les enseignants des autres disciplines s'interrogent sur la qualité des programmes et de la pédagogie des enseignants du français, ceux-ci ont d'aussi bonnes raisons de s'interroger sur les programmes et la pédagogie de leurs collègues des autres disciplines. De fait, tout le monde doit s'interroger, et sur sa propre discipline et sur celle des autres. Ce serait un signe de réveil collectif qui permettrait peut-être de travailler avec des objectifs communs, visant l'essentiel: la structuration de la pensée; et aussi de la langue, outil principal d'apprentissage des connaissances et d'expression de la pensée dans toutes les disciplines.

Ce serait une réforme spectaculaire, et surtout fondamentale, si tous les enseignants prenaient conscience qu'en bousillant la langue maternelle et en laissant les étudiants faire de même, ces enseignants bousillent la discipline qu'ils prétendent enseigner et déforment l'esprit des étudiants. Et le professeur, convaincu que la qualité de la langue révèle et affecte la qualité de la pensée, comprendrait bien que l'étudiant, dans tous ses travaux, ne doit pas dire n'importe quoi n'importe comment, car alors cet étudiant fait la preuve qu'il comprend n'importe quoi n'importe comment, et s'enfonce dans les marécages de l'absurde. Et quand on parle de faute contre la langue, répétons-le, on parle surtout de fautes contre la clarté et la logique de la pensée, qui conditionnent l'efficacité de la compréhension et de la communication.

L'une des difficultés que pose cette recherche d'adaptation des programmes et de la pédagogie, c'est sûrement l'adéquation à trouver entre la matière à enseigner et l'esprit qui la reçoit. La matière peut être d'excellente qualité; mais l'esprit non initié est-il prêt à la recevoir, et la pédagogie pour la transmettre est-elle appropriée?

Ici, comme toujours, deux tendances s'opposent. L'une surestime la capacité d'apprentissage; l'autre la sous-estime. «Rendre les étudiants forts dans les choses faciles»[1], disent les apôtres du minimum; d'autres, optimistes délestés, se situent quelque part aux antipodes de cet idéal. Évidemment, tous les professeurs croient qu'ils évitent ces deux pôles stériles et naviguent dans les zones médianes; mais ce peut être un mirage, une illusion de myope ou de presbyte.

Selon son tempérament et la couleur de son cerveau, on verra tout en noir ou tout en rose; on sera pessimiste ou optimiste. «L'optimiste est un imbécile heureux, le pessimiste un imbécile malheureux.» (Bernanos) Comment échapper à l'une ou l'autre de ces deux formes d'imbécillité? Tout simplement en essayant de voir que l'homme et la vie ne sont pas ou tout noirs ou tout roses: ils sont colorés, c'est très différent. L'imbécile lugubre qui voit tout en noir pourrait de temps à autre enlever ses lunettes noires; il se rendrait compte que le jaune et le rouge existent aussi chez l'homme et dans la vie; l'imbécile hilarant pourrait enlever ses lunettes roses, pour voir que le gris et le noir existent aussi chez l'homme et dans la vie. Toutes les formes d'imbécillité ne se guérissent pas aussi facilement, mais l'optimisme béat et le pessimisme plat peuvent se guérir facilement: il suffit d'enlever ses lunettes artificielles. Est-ce trop demander?

Une théorie qui commence à prendre la relève des vagues Sartre, Marcuse, McLuhan et autres, c'est celle de la pensée formelle. Cette théorie, harnachée de tout un appareil scientifique, tend à démontrer qu'un grand nombre d'étudiants des cégeps n'ont pas atteint le développement de la pensée

---

1 Un exemple type de cette pédagogie débile nous est fourni par le message fédéraliste infantile que Radio-Canada, avec nos impôts, passe vingt fois par jour, depuis environ cinq ans, à la grandeur du Canada: il s'agit de faire comprendre aux caves que nous sommes supposés être, que l'eau, ça gèle à 0° C. En ce 20 janvier 1983, le message a été répété plus de 34 500 fois, et les pédagogues fédéralistes ne sont toujours pas convaincus que nous ayons bien compris. On peut bien appeler ça une pédagogie con-gelée, inventée et martelée par des con-s-tables.

formelle qui leur permettrait de comprendre l'enseignement plutôt abstrait qu'on leur sert. Donc, adapter l'enseignement, pour ne pas enseigner dans le vide.

Ce qui est plein de sens. Mais où tracer la ligne de démarcation entre le concret et l'abstrait? En mathématiques, par exemple, dès le début des plus simples opérations, surviennent l'abstraction et la logique. En français, la plupart des règles, celles de l'accord du participe passé, de l'attribut, de la structure d'une phrase simple exigent l'aptitude à l'abstraction, à la pensée formelle. Alors, à quel âge faudra-t-il aborder l'étude de la phrase, du subjonctif, de l'attribut, du participe passé? Faudra-t-il, comme le suggèrent des psychologues frileux, attendre que l'étudiant en éprouve et en manifeste le besoin? Et quand les étudiants réclameront-ils à grands cris cette nourriture intellectuelle? quand feront-ils la grève pour qu'on leur enseigne les lois de la grammaire, de la logique, de la chimie, de l'algèbre? Quand se sentiront-ils humiliés de ne pas savoir ce qu'est la philosophie, ou la poésie, ou le calcul différentiel, ou la relativité, ou le *Rapport Durham*? Faut-il laisser les étudiants évoluer au rythme doux de Jean-Jacques Rousseau, ou accélérer le rythme, comme chez les Japonais où des orchestres formés d'étudiants réguliers du niveau secondaire arrivent à jouer fort honnêtement la Ve symphonie de Beethoven? Ce qui suppose qu'on les a mis très tôt à une nourriture intellectuelle plus exigeante que celle de McDonald, de Serge Laprade et de K-Tell.

Par où l'on voit que la pensée formelle n'est pas la même pour tout le monde; que c'est une échelle de valeurs allant de la médiocrité à l'excellence. Alors, dans cette échelle, où les enseignants des cégeps veulent-ils se situer, pour éviter à la fois les bas-fonds de l'ignorance satisfaite et les hautes sphères irrespirables de l'abstraction? Il y a vingt ans, les sages disaient que les Canadiens français n'avaient pas atteint le niveau de pensée formelle suffisant pour bâtir eux-mêmes des barrages hydroélectriques: seuls les ingénieurs de *la race supérieure* pouvaient se hisser à ce niveau d'abstraction! Aujourd'hui, les mêmes sages ou d'autres, imbus de la même sagesse timide et méprisante, estiment que les Québécois n'ont pas encore atteint le niveau de pensée formelle suffisant pour bâtir leur propre pays; dans cent ans, peut-être... Alors, le thermomètre de la pensée formelle peut marquer des écarts très grands: on peut le geler ou le réchauffer, selon le degré de température des individus et de la collectivité. Selon le niveau de cette température, il y a risque que de petits Mozarts en puissance en viennent à faire leurs délices de la musique pourrie; ou risque de transformer en petits chiens savants à lunettes des jeunes qui auraient pu devenir tout simplement des hommes et des femmes équilibrés. Je vous ai présenté, au chapitre 1, quatre de ces caniches savants à lunettes, nourris d'abstraction stérile; quant aux Mozarts et Pascals assassinés, ce n'est pas ce qui manque dans les polyvalentes et les cégeps, où la loi du minimum pèse sur les esprits à la manière d'une montagne de margarine.

Que penser, par exemple, d'une forme de pensée et d'évaluation basée sur les travaux en équipe? À quatre, cinq par équipe, les étudiants discutent, ou plutôt *placotent* de philosophie, de sociologie, de sexe, de drogue, de religion ou de tout ce que vous voudrez. À la fin de ces discussions (?), le plus habile à éviter *les fautes de français* rédige le rapport; ses petits copains et copines recevront tous la note que s'est méritée le plus *fort en français*. J'ai l'air de caricaturer; il n'en est rien. Cette méthode est fort populaire, présentée comme un excellent moyen de développer chez l'étudiant le sens social, *l'ouverture à l'autre*. La logorrhée collectiviste, comme moyen efficace d'apprendre à penser! Et ainsi, par surcroît, le pauvre étudiant sera dispensé de la corvée d'avoir à mettre lui-même par écrit, de façon sensée, ce qu'il croit avoir compris. Et ainsi, de surcroît, l'enseignant y trouve son compte: au lieu d'avoir à corriger cinq copies, il lui suffira d'en corriger une; ça simplifie la vie de l'enseignant, tellement compliquée!

Ailleurs, ce sera les exercices mécaniques qui auront la priorité. Donner des trucs, rendre habile dans l'utilisation des gadgets, au lieu d'insister sur l'intelligence des principes, au lieu de mettre en marche l'esprit interrogateur, l'esprit critique, le sens du relatif, la science du doute, le sens de tout ce que la science et l'homme ont d'inachevé.

Et cette pédagogie robotisée a pour complément indispensable l'examen dit objectif, outil par excellence de l'abrutissement mental. Après des années d'enseignement et d'évaluation robotisés, l'étudiant se révélera tout à fait incapable de rédiger une page où il expliquerait avec un minimum de bon sens la circulation du sang ou une loi de physique. Vrai ou faux?

CHAPITRE 13

LÉANDRE BERGERON NOUS TIRE LA LANGUE ET LE RESTE

Que M. Bergeron patrouille toutes les provinces du Québec à la recherche de mots et d'expressions qui ne figurent pas aux dictionnaires français ou québécois, bravo! Il fait alors oeuvre utile, comme tous ceux qui s'intéressent à notre patrimoine. Cela se fait chez tous les peuples, dans tous les domaines, à partir d'un certain niveau de loisir et de conscience collective. Mais M. Bergeron tire de ses découvertes utiles des conclusions inutiles, dangereuses, voire absurdes. Ces conclusions, d'ailleurs, sont plutôt des prémisses; c'est-à-dire: M. Bergeron découvre exactement ce qu'il avait envie de découvrir. Rien de scandaleux à cela: c'est même la seule façon de découvrir quelque chose, soi-même, par exemple. «Tu ne me chercherais pas, si tu ne m'avais déjà trouvé.» Reste à savoir ce que M. Léandre a dit à M. Bergeron pour inciter M. Bergeron à rechercher ce que M. Léandre, lui, avait déjà trouvé. Or, voici quelques-unes des conclusions-prémisses de M. Léandre, telles qu'il nous les a révélées à l'émission *Noir sur blanc*, le 3 janvier 1981.

Le français, langue châtrée

C'est un axiome cher à M. Léandre, comme au Frère Untel, comme à Henri Bélanger, colonel de la Royal Canadian Army et linguiste sabbatique: la langue française était naturelle, vivante, épanouie, toute en saillies savoureuses, au XVIe siècle; puis, Vaugelas, Malherbe et autres grands émondeurs du XVIIe siècle l'ont sévèrement châtrée; depuis cette époque funeste, le français est devenu une langue d'eunuques, artificielle, corsetée, fluette, constipée, fade, in-signifiante. Seuls les gens du bon peuple ont échappé au massacre et continuent à parler comme du monde normal.

Simplification grossière, mais qui a tous les charmes *naturels* de l'ignorance et de la paresse. Qu'on lise le livre de Jean Marcel, *Le joual de Troie*, où cette vessie savoureuse est crevée de belle et définitive façon. Je n'apporterai ici qu'une preuve complémentaire. Soit le dernier paragraphe du prologue que Rabelais a écrit pour son *Gargantua*:

> *Or esbaudissez-vous, mes amours, et guayment lisez le reste, tout à l'aise du corps et au profit des reins! Mais escoutez, vietz d'azes (que le maulubec vous trousque!), vous soubvienne de boyre à my pour la pareille, et je vous plégeray tout ares metys.*

Et ce paragraphe tiré des *Pensées* de Pascal:

> *Notre imagination nous grossit si fort le temps présent, à force d'y faire des réflexions, que nous faisons de l'éternité un néant, et du néant une éternité; et tout cela a ses racines si vives en nous, que toute notre raison ne nous en peut défendre...*

Voilà la langue du XVIe siècle et celle du XVIIe. Qu'est-ce que cela prouve? Que Pascal est un meilleur écrivain que Rabelais? Non. Mais que sans doute la langue de Pascal, la nôtre, est plus adaptée à nos esprits du XXe siècle que celle de Rabelais; tout comme l'avion *Concorde* est mieux adapté aux vols intercontinentaux que la géniale boîte à beurre mécanisée des héroïques frères Wright. Et cette adaptation, quoi qu'en rêve M. Léandre, ne s'est pas faite surtout par les grammairiens, mais par tout un peuple qui parlait et écrivait.

Les Anglais, eux...

Léandre a réussi à convaincre M. Bergeron que les Anglais, contrairement aux Français, ont laissé leur langue s'épanouir en toute liberté. Mais M. Bergeron aurait pu ne pas se laisser circonvenir par Léandre, en se rappelant ces quelques évidences: qu'il existe aussi en anglais une grammaire, aussi difficile à maîtriser que le violon; qu'on ne parle pas au Parlement de Londres ou à Washington la même langue que dans les pubs et dans Harlem; que dans toutes les langues il existe des niveaux de langue; qu'un homme, sans être pour autant un hypocrite, un déraciné, ne porte pas nécessairement le même habit linguistique, selon qu'il s'affaire à vider sa fosse septique ou qu'il s'affaire auprès de sa blonde. M. Léandre, lui, est un partisan farouche d'une certaine révolution infantile des années 1960: pour être alors un Québécois authentique, un vrai, il fallait être savoureusement sale, sacrer à deux bras, péter à loisir en tout lieu (Peace), roter tout naturellement à table (and Love), s'acheter des guenilles authentiques et pisser tout spontanément sur la tête de son père *croulant*. Et M. Léandre s'imagine naïvement que, pendant cette période bénie, la reine des Anglais et les journaux de Londres ou de New-York utilisaient une langue affranchie de toute grammaire. C'est très beau (?); mais est-ce vrai? Et si M. Bergeron veut relire quelques pages de Shakespeare, il découvrira avec étonnement que cette savoureuse langue anglaise du XVIe siècle n'est pas du tout celle de Madame Thatcher, qui parle l'anglais international. Pourtant, nous dit-on, personne en Angleterre, jamais, en aucune manière, n'a régenté la langue. Mystère et boule de gomme!

Le Québec, unique foyer du français vivant

MM. Léandre et Bergeron doivent enrager quand ils écoutent la musique de Claude Léveillé ou les chansons de Gilles Vigneault. Car Vigneault ne parle pas toujours, loin de là, la langue des chantiers, et Léveillé ne compose pas toujours, loin de là, pour les violonneux, les batteurs de cuillers et les joueurs d'harmonica. Paix à tous ces musiciens! Ils ont leur mérite et leur dignité. Mais le piano et l'orchestre symphonique aussi. Des fermes et des villages, des chantiers et des villes du XIXe siècle québécois, il aurait été miraculeux que sortent un Beethoven, un Mozart ou un Vigneault. Le constater, ce n'est mépriser rien ni personne. Mais prétendre que le foyer de la musique vivante au XIXe siècle fut le Québec agricole et forestier, c'est tomber profondément en démence.

Ce que fait M. Léandre quand il soutient effrontément que le Québec actuel est le seul foyer du français vivant. Sans nous, paraît-il, la francophonie parlerait une langue désincarnée, stérilisée, stéréotypée, insignifiante. La vérité, c'est que, pendant deux siècles, nous avons été coupés de l'évolution normale qu'ont connue la civilisation et, partant, la langue françaises. Une grande partie de la *saveur* de notre langue vient du fait qu'elle est restée figée au XVIIe siècle; c'est touchant comme le folklore, mais ce n'est pas un miracle d'originalité à proposer aux nations.

Le français est aujoud'hui vivant partout où il y a des peuples francophones vivants. M. Léandre sait-il qu'il s'invente chaque année de par le monde quelque 2 000 mots français? Quelques-uns viennent du Québec. En deux cents ans, nous avons inventé quelques douzaines de mots; il n'y a pas de quoi crier à un excès de vitalité et de fécondité. Le reste, tout le reste de notre vocabulaire, nous vient de France, comme le vocabulaire anglais du Manitoba vient à 98% de l'Angleterre. Quant à la morphologie et à la syntaxe, nous n'y avons pratiquement rien changé, pas plus que les Français durant cette même période. À l'intérieur de ce cadre fourni par sa langue maternelle, un individu moyennement doué invente à lui seul des millions de variations. Que M. Léandre en ait inventorié quinze mille en Abitibi, ce n'est pas un miracle: c'est une banalité. M. Bergeron aurait fait la même découverte, étonnante pour lui, si, au lieu de l'Abitibi, il avait pris la Normandie comme terrain de ses recherches.

S'il est bête de se mépriser, il est non moins bête de voir son nombril comme la fontaine de Jouvence universelle, et de prendre au sérieux le texte de notre comédie musicale qui dit: «Ton histoire est une épopée des plus brillants exploits.» Eh oui! le peuple québécois, si épique, n'a pas encore droit de parole à l'ONU, et Ottawa lui dénie même le droit à l'existence; ça ne fait rien: nous sommes le seul peuple francophone vivant; en conséquence, vive la reine!

Giuseppe Turi, un penseur de la famille extatique de M. Léandre, écrivait, il y a quelques années, dans *Une culture appelée québécoise*: «La culture du Québec est la façon spéciale de penser de la nation québécoise. C'est la récolte, qualitativement la plus supérieure et la plus originale qui soit sur la terre, de la moisson intellectuelle et morale, à savoir de tout ce qui est merveilleusement beau et extraordinairement juste, donc de tout ce qui est humainement parfait.»Ceux qui disent cela de nous, ou bien sont qualitativement caves, ou bien veulent nous rendre merveilleusement et extraordinairement ridicules au genre humain. Bergeron et Turi feraient une oeuvre culturelle moins équivoque en se donnant à eux-mêmes le sens du ridicule, au lieu de vouloir nous gonfler de vent comme des grenouilles merveilleusement et extraordinairement creuses.

Molière, un de ceux qui ont créé le français moderne, savait fort bien manier le français populaire et aussi le français que M. Léandre qualifierait avec mépris de *français international*. Autrement dit, Molière pouvait manier tous les registres de sa langue. Il s'est moqué du langage emberlificoté des précieuses ridicules et des femmes savantes, comme il se serait moqué du style balançoire de Claude Ryan ou du style tarabiscoté de feu Jean-Noël Tremblay; mais il se réjouirait fort également d'entendre M. Léandre soutenir que seule la langue des Nicole et des Martine de ses comédies a droit de cité au XXe siècle dans toute la francophonie. Martine disait, au grand scandale des pimbèches femmes savantes:

> *Quand on se fait entendre, on parle toujours bien,*
> *Et tous vos biaux dictons ne servent pas de rien.*

Bravo! dirait Léandre. Mais dans *L'école des femmes*, M. Bergeron entendrait cette apostrophe d'un autre style:

Et qui vous a appris, impertinente bête,
À me parler ainsi, le chapeau sur la tête?

En d'autres termes, Molière appréciait la musique à cuillers; mais, contrairement à M. Léandre, il ne levait pas le nez bien haut sur tout ce qui sonne autrement que la musique à cuillers. Ça étonnerait fort M. Léandre si on lui disait qu'il ressemble comme un frère au bourgeois gentilhomme: ce M. Jourdain qui tomba en extase quand son professeur de philosophie lui découvrit, un beau matin, le mystère de la prononciation de la voyelle U. Mais, jeune encore, M. Léandre fera sûrement des découvertes beaucoup plus stupéfiantes que celles de son illustre ancêtre. Il nous l'a d'ailleurs promis. Attendons wère. Après, on woira bin.

CHAPITRE 14

LE QUÉBEC ET SON IDENTITÉ

Le Québec est un îlot, ou une oasis, de cinq millions de francophones dans un océan, ou un désert, de 250 millions d'anglophones. Si cet îlot québécois était situé dans la banlieue de Paris, et s'il voulait rester québécois, son identité serait menacée, mais non sa langue. Or, il est situé dans la banlieue de New-York et dominé économiquement et politiquement par le Canada anglais; il est donc menacé à la fois dans sa langue et dans toute son identité. Que cet îlot ait surnagé jusqu'à ce jour, c'est un *miracle* ou un *scandale*, selon que l'on regarde ce phénomène avec un oeil sympathique ou hostile. Dans notre voisinage immédiat, c'est plutôt avec un mauvais oeil qu'on nous regarde: le Québec fait problème, agace, dérange les planificateurs du continent, et c'est depuis plus de 200 ans qu'on cherche, effrontément ou poliment, à lui régler son compte, à lui faire perdre son identité, à le faire entrer de force dans le *melting pot* anglo-saxon, *canadian* ou *american*.

Au Québec, la question essentielle n'est donc pas de savoir si, pour sauver notre identité, nous allons nous mettre à l'espagnol, au portugais, à l'allemand ou à l'italien, en plus de l'anglais. Cette question est d'un intérêt évident pour les Européens et pour d'autres peuples menacés par les deux rouleaux compresseurs que l'on connaît. Élargir notre éventail des langues, c'est souhaitable au Québec comme partout ailleurs; mais c'est nettement insuffisant pour sauvegarder notre identité; et ce serait une illusion fatale de donner la priorité à ce genre d'action. Pendant un siècle et demi, nos élites se sont mises au grec et au latin, en plus de se mettre à l'anglais; ce qui n'a pas suffi, loin de là, à les rendre fortement identifiées, c'est-à-dire existantes.

L'identité d'un individu ou d'un peuple s'exprime par la langue; elle s'exprime tout autant par les arts, les sciences, la religion, le vêtement, l'organisation sociale et politique, bref, par tout ce qui fait qu'un individu ou un peuple se donne une vision originale de l'homme et de l'univers.

Au Québec, pendant trop longtemps, nous avons cru pouvoir sauver notre identité en sauvant notre langue et notre religion, distinctes de celles du conquérant. Nous avons trop longtemps oublié qu'une langue qui ne s'appuie pas sur la puissance économique et politique est une langue vouée à devenir sclérosée, folklorique. Il suffit de voir ce qui est arrivé aux peuples amérindiens, aux peuples africains, aux Grecs, aux Romains, aux Gaulois, bref, à tous les peuples qui, un jour ou l'autre, eurent à faire face à une puissance étrangère qui avait pour elle la force militaire, économique et politique. À l'ONU, comme au Sénat romain, c'est la force qui fait le droit; c'est triste, c'est sinistre, c'est scandaleux, mais c'est comme ça. Toute l'histoire nous crie que la force d'une langue, d'une culture, est en dépendance étroite de la force militaire, économique et politique. Les puissances dominatrices, asservissantes, assimilatrices en sont profondément, sereinement, sauvagement convaincues. Si les peuples dominés n'en sont pas convaincus et rêvent d'une autonomie, d'une identité culturelle basées sur le seul droit, ou sur les seules qualités de leur langue, ils font des rêves de lièvres face aux loups, des rêves de condamnés à mort face au peloton d'exécution.

Depuis 220 ans, le peuple québécois vit sous une domination étrangère. Cette puissance étrangère ne lui a toujours laissé que des demi-libertés, des demi-responsabilités. Comment un individu ou un peuple qui abandonne à une puissance étrangère les grandes décisions économiques et politiques qui influencent toute sa vie peut-il sauver, développer son identité, même si le dominateur, pour un temps, lui laisse l'usage de sa langue? Comment peut-on être cultivé, civilisé, pleinement identifié et original, en se laissant conduire comme un mineur irresponsable? On a vu parfois des peuples se révolter contre une puissance dominatrice pour sauver leur identité linguistique ou religieuse; le plus souvent, c'était pour sauver leur identité globale, leur dignité d'hommes. Ni les États-Unis, ni la France, ni les pays des trois Amériques, d'Afrique et d'ailleurs n'ont fait leurs révolutions pour sauver d'abord leur langue: ils ont fait leurs révolutions pour devenir des peuples autonomes, pleinement responsables de leur présent et de leur avenir.

Vouloir l'identité du peuple québécois, sans vouloir son autonomie politique, c'est faire un rêve creux. Et c'est une farce tragi-comique. Quand on nous dit que le Canada est un pays biculturel, bilingue, où deux peuples égaux ont des chances égales de s'épanouir, c'est une farce: le Canada est un pays anglais qui, de toutes les manières, nie au peuple québécois les droits essentiels à un peuple pour être normal. La notion même de peuple québécois est niée par le Canada anglais pour qui le Québec est tout simplement une province. Un Canada biculturel et bilingue, c'est une farce comme celle de l'égalité des Noirs aux États-Unis, une farce comme celle des dictatures très populaires à parti unique, une farce comme celle des dictatures célébrant leur libéralité. Le monde contemporain est rempli de farces sinistres présentées comme des comédies musicales légères et savoureuses par les maîtres du spectacle. Il en fut toujours ainsi, et il en sera sûrement ainsi après ce congrès de Rio.

Si chaque homme, si chaque peuple affirme son goût de la liberté, de sa dignité globale, les langues et les cultures seront bien gardées. La question n'est donc pas de savoir si la langue française a un bel avenir, mais si les hommes et les peuples qui parlent le français méritent de vivre: s'ils préfèrent être pleinement eux-mêmes plutôt qu'une réplique avortée de quelque envoûtant robot compresseur. De ces robots abrutissants on pourrait donner ici une liste impressionnante où seraient brillamment représentés les cinq continents. On s'égarerait alors loin du thème de ce congrès? Non. En réalité, on s'égare quand on parle de sauver la baleine sans parler de l'océan pollué où vit la baleine, et sans parler de ceux qui chassent sauvagement la baleine. Un Québécois ne pourrait pas dire cela à l'ONU, parce que le Québec n'y a jamais eu droit de parole. À l'ONU, le Québec francophone parle en anglais par la bouche du Canada anglais. Comme autrefois les trois quarts des peuples de la terre privés de leur droit de parole: ils *exprimaient* alors leur identité par la voix des puissances dominatrices. Or, un individu ou un peuple qui n'a pas droit de parole est-il brimé dans son identité? est-il menacé dans son identité? Et, pour conjurer cette menace, suffit-il que ce peuple privé du droit de parole apprenne d'autres langues étrangères que celle du peuple dominant?

Au sortir de ce congrès, irons-nous porter aux quatre coins de la planète la bonne nouvelle que le français est une langue pour notre temps? C'est évident que le français est une langue bonne pour le XXe siècle et tous les siècles à venir; mais les peuples qui veulent le parler comme langue maternelle seront-ils encore vivants au XXIe siècle? Auront-ils été écrasés par les rouleaux compresseurs, digérés par les molochs tout-puissants? À la fin du XXIe, le français sera sans aucun doute la langue maternelle des Français; il sera probablement aussi la langue maternelle de la Belgique wallonne et de la Suisse romande; il sera encore enseigné comme langue étrangère dans un grand nombre de pays; mais pour le peuple québécois, le français sera-t-il encore la langue maternelle? Ou sera-t-il devenu une langue *seconde*, comme pour ces millions de Québécois qui ont quitté le Québec et qui aujourd'hui sont des *Canadians* ou des *Americans*, avec des vestiges linguistiques folkloriques que le peuple dominant exhibe avec une fierté nuancée de mépris et d'hypocrisie lors de ses fiestas nationales?

Si le Québec veut être un peuple folklorique, comme il en existe actuellement plusieurs centaines, il n'a qu'à laisser aux mains d'un peuple étranger le soin de prendre pour lui les décisions majeures. Le peuple étranger, largement majoritaire, maître de la politique et de l'économie, définira à son profit l'identité du peuple québécois; il lui laissera les droits mineurs qu'on laisse à une minorité, évitant, pour sauver son image internationale, les mesures disciplinaires trop voyantes. Par contre, si le Québec veut sauver son identité, il n'y a pas trente-six façons de le faire: il doit devenir maître de tout ce qui fait toute son identité, pas seulement de sa langue.

Depuis vingt ans surtout, c'est dans cette voie que marchent toutes les forces vives du peuple québécois. Il ne s'agit plus seulement de sauver notre langue, de survivre à petit feu, de vivoter; il s'agit de sauver notre tête, notre coeur et notre âme, de nous ouvrir au monde sans garde-chiourme interposé. Nous ne croyons pas qu'un peuple décapité puisse avoir une langue bien éloquente dans le concert des cultures. Le seul gouvernement québécois qui ait pris les mesures efficaces pour faire du Québec un territoire aussi francophone que le territoire *canadian* est anglophone est précisément le gouvernement dont l'objectif politique majeur est de faire du Québec un pays libéré de la servitude économique et politique. Ce n'est pas un hasard. Un peuple qui n'ose pas vivre pleinement par lui-même toute sa vie peut toujours se consoler en se disant qu'il parle français, une belle langue pour notre temps; ce serait une bien triste consolation. Et les autres peuples auraient raison de le mépriser, lui dont l'identité serait faite surtout de démission et de soumission.

Telle a toujours été la position de l'Association québécoise des professeurs de français: au Québec, toute politique linguistique, isolée de ses fondements politiques et économiques, est vaine; bien plus, c'est une politique d'obnubilation, une tactique de diversion. Pour sauver sa langue et son identité, il est recommandé de sauver aussi, et surtout, sa tête.

(Communication que j'ai présentée au congrès de la Fédération internationale des professeurs de français, à Rio de Janeiro, en juillet 1981.)

CHAPITRE 15

UNE SIMPLE QUESTION DE PASSION ET DE PLAISIR

La langue? On en parle beaucoup. Si seulement on la parlait aussi bien qu'on en parle! J'imagine un proverbe: «C'est en en parlant qu'on finit par la parler.» J'invente un slogan: «Parlez-en souvent et parlez-la tout le temps.» Je me fais une devise: «Si j'en parle tant c'est pour la mieux parler.»

Voilà un petit préambule en style baroque qui n'a d'autre but que de vous annoncer *une autre chronique sur la langue.*

Elle sera obligatoirement différente des autres parce que je n'ai aucune compétence professionnelle pour discourir en la matière. En effet, je ne suis ni linguiste ni grammairien. Je n'ai que la passion. On a jugé, en haut lieu, que cela suffisait.

La passion et le plaisir!

Ce qui n'exclut pas la correction, bien sûr, puisqu'en cette matière, le plaisir procède souvent de la correction.

Si j'insiste sur cette notion de plaisir dans la langue parlée et écrite, c'est que j'en fais la condition première de son exercice.

Malheureusement, chez nous au Québec, à cause de conditions historiques difficiles, nous avons toujours associé l'exercice de la parole française à l'effort, à la bataille, au courage. Notre français, par la force des choses, est devenu langue de barricade plutôt que langue du quotidien, langue de souffrance et d'humiliation. Comment s'étonner alors qu'elle soit aujourd'hui vidée de sa joie première, perçue trop souvent comme un handicap plutôt qu'un avantage?

Si notre langue est restée primitive, c'est qu'elle n'a toujours servi qu'à exprimer des besoins primaires, les autres nous étant interdits.

Mais les conditions changent et notre état d'esprit doit en faire autant. Au moment où, dans notre société, le français devient enfin une langue utile et nécessaire, nous ne devons pas hésiter à nous plonger avec volupté dans cet océan de mots dont la richesse reste insondable et la vigueur insoupçonnée.

Le plaisir de parler et d'écrire peut être infini.

Il est d'abord plaisir de la connaissance. Connaissance de l'instrument d'abord, puis connaissance des êtres et des choses. C'est en les nommant qu'on les *reconnaît*, c'est en les mariant qu'on leur donne une signification.

Plaisir aussi de la correction. Il est difficile de dire exactement ce qu'on pense ou ce qu'on ressent. Pour y arriver, il faut trouver le mot juste, la nuance exacte, distinguer l'accessoire de l'essentiel, réduire le propos à sa plus simple expression, élaguer, construire, rechercher la précision absolue. Ce n'est pas facile, mais quand on y arrive, la part de contentement que l'on éprouve est bien plus grande que la part d'effort qui nous y a conduits.

Plaisir du style. C'est Jean-Claude Germain qui a eu cette réflexion heureuse en parlant du style: «Chacun, disait-il, se taille, à même la langue parlée par tous, sa langue à soi, sa langue personnelle.» Cela est vrai. Une façon de parler ou d'écrire qui n'appartient qu'à soi; compréhensible par tous, mais ne devant sa richesse, sa force, sa précision, son originalité, qu'à cet individu tout-puissant qui s'approprie le monde pour le réinventer à sa façon.

Plaisir de la liberté. La parole libère parce qu'elle permet de lutter contre le pouvoir de la parole, contre l'institution qui se veut sourde et muette, contre le système qui s'approprie le droit de parler à notre place, contre soi-même enfin parce qu'elle permet à chacun de crier pour ne pas étouffer.

La somme de ces petits plaisirs finit par faire un grand plaisir à qui se les donne.

La parole est vaine pour les imbéciles. C'est pourquoi il ne faut pas leur en laisser le monopole. Il faut que l'intelligence parle mieux et plus haut que la stupidité, que le préjugé, que l'ignorance, que la bêtise.

Elle n'est pas que plaisir. C'est aussi une arme dangereuse qu'il faut savoir maîtriser pour ne pas se laisser maîtriser par ceux qui la maîtrisent.

C'est l'envie de parler que je voudrais vous donner et à cela que je me consacrerai dans les mois à venir.

(Pierre Bourgault, Chronique «Mot à mot», dans *L'actualité*, mai 1979.)

CHAPITRE 16

DE LA LECTURE

Nous avons vu, aux chapitres 4 et 7, que l'étudiant de niveau collégial doit pouvoir lire rapidement, et comprendre ce qu'il lit. Pourquoi? Si l'enseignement qu'il reçoit est quelque peu sérieux, dans toutes les disciplines on donne à l'étudiant des textes à lire, et en assez grande quantité. S'il s'avance dans ces textes à la manière d'une taupe ou d'une tortue, son esprit comprendra comme comprend celui d'une taupe, et il avancera à la vitesse de la tortue.

Voilà donc une première utilité de la lecture: elle est le moyen privilégié de transmettre et d'acquérir des connaissances. Et nous avons vu que ni toi, ni tes enfants, ni tes petits-enfants, probablement, ne verrez la lecture remplacée par les techniques audio-visuelles. Demain comme aujourd'hui, ceux qui ne sauront pas lire, seront gravement handicapés. Et de savoir lire, c'est tout autre chose que pouvoir lire des bandes dessinées; tout comme savoir écrire, c'est tout autre chose que pouvoir gribouiller des examens objectifs.

Mais on ne lit pas seulement pour obtenir un diplôme. Ce serait franchement trop bête. Ce serait comme apprendre à marcher uniquement pour monter dans les échelles. On lit pour le plaisir; pour le plaisir royal de s'ouvrir l'esprit, de le féconder au contact de la passion et de la pensée des autres. Pour donner à son esprit plus de vigueur, plus de vitalité, au contact de la vie des autres esprits. Et parmi ces autres, il y a, en quantité heureusement inépuisable, les génies ou du moins les esprits qui dépassent les nôtres. Même si nous pensons avoir plus de génie qu'eux, il nous sera toujours très utile de les lire; d'abord pour vérifier si c'est bien vrai. Si nous constatons que c'est bien vrai, nous pourrons toujours partir de ce qu'ils ont fait pour aller plus loin. Autrement, nous serions de jolis barbares qui s'imaginent que l'homme n'avait pas pensé jusqu'à ce que eux, les barbares, fassent leur entrée triomphale en ce monde obscur et marchent sur ce monde ébloui de leurs lumières.

Un esprit, même génial, s'il se limite à son seul horizon, risque de s'asphyxier, de s'égarer en cercles vicieux dont le centre est son nombril; ou de se perdre sans retour dans le labyrinthe de ses pensées à sens unique, monocordes et monotones. Chanter toujours seul, sans le concours des autres voix, sans le support des autres instruments de musique, c'est toujours dangereux et, le plus souvent, très stérilisant. Ce serait un peu comme vouloir engendrer tout seul ses enfants. Ça te semble une formule efficace et emballante?

Jusqu'à ce jour inclusivement, ceux qui ont le plus créé sont ceux qui s'étaient le plus enrichis des connaissances de leurs devanciers. Tu écoutes une chanson apparemment toute simple de Brassens, et tu te rends compte que ce diable d'homme a des connaissances littéraires à faire pâlir d'envie nos professeurs d'université. Gaston Miron, l'un de nos meilleurs poètes québécois, a une connaissance prodigieuse de la poésie mondiale contemporaine; ce qui ne l'empêche pas d'être Gaston Miron, farouchement lui-même. Les ignares, eux, croient que la source de l'originalité, c'est l'ignorance. Et ce qui est vrai du poète est tout aussi vrai du médecin, de l'ingénieur, de l'homme politique, de tous ceux qui ont quelque chose à dire et à faire. Ceux-là sentent la nécessité de féconder constamment leur esprit au contact des meilleurs esprits.

Et dis-toi bien que l'école, le cégep, l'université te transmettent un bien maigre bagage de connaissances. Trop souvent, tu considères ce minimum comme un maximum. Pourtant, c'est bien un minimum, un bien maigre minimum. La physique, la philosophie, le français, tout ce qu'on t'apprend dans les écoles, cela tourne forcément autour du minimum, c'est-à-dire autour de la médiocrité. Un enseignement pour la masse, ça vole toujours en rase-mottes. Toutes les pressions sociales visent à ce que les écoles tendent, non pas à l'excellence, mais à une médiocrité dorée, de façon que le plus grand nombre d'analphabètes possible deviennent des analphabètes diplômés. Parmi tes professeurs, peu ou pas de génies; très peu ou, plus probablement, aucun talent exceptionnel (à peu près la même proportion que chez les étudiants). Si donc tu te contentes de ce petit lait, ton esprit restera infantile. Heureusement, il y a les grands maîtres, les génies, là, à portée de la main: à la bibliothèque ou dans les librairies. Eux peuvent te féconder l'esprit, te donner la passion de l'excellence et le dégoût de l'insipide médiocrité diplômée.

Imagine la fête pour ton esprit, si tu pouvais fréquenter, vivants parmi nous, Einstein, Shakespeare, Picasso, Platon, Pascal, et tant d'autres de même qualité! C'est tout autre chose que jaser avec un copain moyen autour d'une bière *y a rien qui la batte.* Ces génies ne sont plus là; mais leurs oeuvres, l'essentiel de ce qu'ils avaient à dire, est là, accessible à tout esprit qui se donne la peine de s'élever au-dessus du tintamarre fait par les moineaux.

Quand les oeuvres magistrales, dans les domaines de la culture, sont d'un accès si facile, nous n'avons aucune excuse pour rester intellectuellement médiocres, bornés à la consommation des sous-produits qui sont toujours les plus populaires et qui hurlent leur publicité. Les génies ne hurlent pas: ils parlent ou chantent, et le plus souvent à voix discrète. Ce n'est pas pour rien qu'on lit en silence et dans le silence: lire Einstein, Pascal ou Shakespeare dans le bruit, c'est comme écouter *La petite musique de nuit* de Mozart, tout en *poussant au boutte* sa scie mécanique ou sa motocyclette Formule 1. Dans ces conditions, Mozart est battu d'avance. À voir l'atmosphère qui règne le plus souvent dans votre bibliothèque, il est facile de conclure que les génies présents là, tout autour de vous, sur les rayons de la bibliothèque, sont battus d'avance, au profit du placotage mécanique et des motocyclettes mentales.

Chacun de nous, c'est évident, lit les auteurs qu'il mérite de lire. S'il lit surtout des niaiseries, c'est parce que ses préférences vont à la niaiserie. S'il lit surtout du médiocre, c'est qu'il préfère le médiocre. S'il lit surtout de la limonade sentimentale, des petits romans fadasses, bleus ou roses, c'est que son esprit est limoneux, fadasse, délavé, insipide. Et cet esprit, dans toutes les activités autres que la lecture, sera limoneux, délavé, fadasse comme la nourriture intellectuelle qui a ses préférences. Un homme politique nourri aux romans Harlequin, c'est un homme politique insipide. Un médecin branché sur les textes de Nathalie Simard est un médecin extrêmement dangereux, parce que in-signifiant. Un professeur qui lit peu, lira fatalement ce qu'il y a de plus médiocre. Il sera médiocre, fatalement, parce qu'il fait déjà la preuve de sa médiocrité par le choix de ses lectures. Et, suprême récompense bien méritée, ses lectures médiocres ne feront qu'accroître sa médiocrité.

Et l'étudiant? Il n'échappe pas à la règle. Regardez autour de vous. Ceux parmi vous qui lisent peu lisent habituellement ce qu'il y a de moins nourrissant. Ceux parmi vous qui lisent beaucoup, comme par hasard, vous verrez que leurs lectures ont beaucoup plus de chances d'être de bonne qualité. La quantité n'est pas la qualité; ça peut être tout le contraire; mais de façon générale, les passionnés de lecture ont beaucoup plus de chances d'en arriver plus vite à faire la distinction entre l'excellent et le médiocre. Et quand ils arrivent à cette évidence, ils se mettent à rechercher passionnément les grandes oeuvres, et à s'en nourrir. Ils perdent le moins de temps possible à chiquer de la paille, à ruminer des copeaux.

Alors, quelles grandes oeuvres, dans tous les domaines de la pensée, as-tu lues jusqu'à ce jour? Connais-tu, par leurs oeuvres, Homère, Virgile, Platon, Villon, Jacques Ferron, Anne Hébert, Pascal, Rabelais, Hugo, Réjean Ducharme, Hemingway, Shakespeare, Isaïe, Job, Dante, Cervantes, Dostoïevsky, Soljénitsyne, Chesterton, Apollinaire, Germaine Guèvremont, Orwell, Gaston Miron, Racine, Balzac, Baudelaire, Claudel, Saint-John Perse, Kafka, et des douzaines d'autres de même race et dans tous les domaines de la culture?

Je ne dresse pas cette liste pour t'accabler, mais pour te faire comprendre qu'il y a du bon pain et du bon vin sur la table, en quantité suffisante pour toute une vie d'émerveillement et d'enrichissement. À la condition de t'asseoir un bon jour à cette table. Et si, à ton âge, on ne s'asseoit jamais à la table de ces génies, il est presque fatal qu'on ne s'y assoira jamais: on développera d'autres goûts, des goûts bien enracinés dans le médiocre, des goûts qui réclameront à grands cris toujours plus de médiocre.

Et parmi tous les grands, il s'en trouve un nombre, assez restreint, qui nous deviennent très chers. Nous nous sentons de leur famille spirituelle. Qu'importe qu'ils nous dépassent! Tant mieux s'ils nous dépassent! C'est parce qu'ils nous dépassent qu'ils nous fécondent. Et un esprit, comme un sol, ne convient pas également à toutes les semences. Certains esprits trouvent dans le nôtre un terrain d'accueil tout préparé à les recevoir. Nous nous sentons de leur race. Nous devenons volontiers leurs disciples. Ceux-là seuls seront vraiment nos maîtres à penser. Quelques-uns deviendront nos maîtres à vivre. Ce qu'ils disent, nous aimerions l'avoir dit; ce qu'ils ont vécu, nous aimerions le vivre. Cette admiration, ce désir sont propres à susciter chez nous ce qu'il y a de meilleur. Et nous ne les imiterons pas avec servilité; car nous savons que les grands esprits n'aiment pas les esclaves. Nous les imiterons un peu comme la fleur imite le soleil.

Ces maîtres, au fil des ans, nous les lirons, relirons sans cesse. Pour y découvrir, inépuisablement, de nouvelles sources d'émerveillement. Ces fréquentations nous deviendront beaucoup plus précieuses que ces rencontres superficielles que nous avons avec la plupart des gens de notre entourage. Les uns seront pour nous envoûtants, tumultueux, terribles et vastes comme l'océan; d'autres nous seront des havres, des vergers, des jardins de paix; d'autres seront des déserts brûlés de feu ou de froid où nous allons faire des cures d'amaigrissement, retremper notre caractère amolli par l'insignifiance militante; d'autres sont des montagnes au sommet desquelles nous prenons une plus juste mesure des arbres, des rivières, des ponts, là-bas, sous nos pieds; avec d'autres, nous nous assoyons au pied d'un arbre, et nous découvrons que l'arbre est beau comme un dieu. Et il se peut qu'un seul de ces maîtres nous donne, rassemblées, toutes ces ivresses lucides: Virgile, Job, Shakespeare, Chesterton...

Alors, qu'attends-tu pour te mettre à l'école des génies, plutôt que des sous-produits? Le temps te manque? Du temps, nous en avons tous à vendre, à ne plus savoir comment le perdre. Le goût vous manque? Évidemment, on ne peut avoir le goût de lire de grandes oeuvres, si on n'en a jamais lu aucune. Le goût, ça se forme en goûtant, comme tu as appris à marcher en marchant, en décidant un bon matin de sortir de ta couchette de bébé. Veux-tu rester, jusqu'à ta mort inclusivement, un beau bébé intellectuel, tout frais, tout rose, tout con? Un bébé n'est pas con; mais un adulte-bébé, c'est doublement con.

Il te vient une excuse: «Je ne veux pas, dis-tu, écrire des livres, ni être un intellectuel, tout perdu dans les bouquins, inconscient face à la vraie vie, un petit singe à lunettes jacassant dans les nuages.» Je te comprends. Si la lecture menait fatalement à ça, tu aurais bien raison de ne pas vouloir être ça. Si la lecture te détournait de la vie, tu aurais bien raison de fuir les livres, pour te plonger dans la vie.

Mais qu'entends-tu par vivre? Vivre, est-ce d'abord, surtout, vivre au niveau des sens, en faisant intervenir le moins possible son intelligence? La vie de l'homme est-elle d'abord dans la pensée? La qualité de la vie dépend-elle avant tout de la qualité de la pensée? Ces dernières années, quand on parle de *la qualité de la vie*, on met presque toujours l'accent sur la qualité de l'air, de l'eau, de l'environnement, de la condition physique. Tout cela, certes, peut contribuer à la qualité de la vie humaine; mais tout cela n'est que bien secondaire, si on le compare à cette qualité fondamentale de la vie humaine qui est faite avant tout d'intelligence et de générosité. La pollution par la médiocrité intellectuelle est beaucoup plus néfaste à la qualité de la vie humaine que la pollution de l'air ou de l'eau. C'est moins évident, mais c'est beaucoup plus vrai. Et pour le voir, la fréquentation des grands esprits est éminemment utile: ils te dépolluent des gaz épais de la médiocrité; ils te rendent l'oeil mental plus limpide et pénétrant.

Bien loin, donc, de te détourner de la vie, les grands hommes pensants peuvent t'aider puissamment à mieux voir, à mieux goûter la vraie vie. Ils témoignent de la grandeur de l'homme, beaucoup plus éloquemment que les millionnaires, les champions olympiques, ou ceux qui font la une dans les journaux et autres haut-parleurs tapageurs. Quand les héros d'un jour quittent la scène, les grands esprits restent, comme des *phares* éclairant l'homme dans sa difficile et merveilleuse aventure.

Il nous reste peu de chose, par exemple, de la miraculeuse civilisation grecque. Où sont les politiciens, les riches, les puissants de cette époque? Tous ont été balayés par les vagues du temps. Ne survivent, ne restent vivants que les philosophes, les artistes, les littérateurs, les contemplateurs des astres et des hautes sphères de l'esprit humain, bref, tous ces gens apparemment inutiles qui, pour l'homme bien né, sont les plus précieux de tous. Socrate est beaucoup plus vivant que l'immense majorité de tes contemporains bien en chair et en os; reste à voir si, sous leur chair et leurs os, ils ont l'âme et la pensée de Socrate. C'est déjà tout vu. Tu ne connais sans doute pas Anne Hébert; mais si tu lis ses oeuvres, tu découvriras une femme beaucoup plus vivante que l'immense majorité des femmes que tu côtoies.

Si, par la lecture, tu t'entoures de ces plus grands esprits, il te restera peu de temps pour la niaiserie. Et c'est heureux. Je ne veux pas dire que tu passeras ta vie dans les livres, que tu vivras ta vie dans les livres. Je veux dire qu'ils t'aideront à choisir dans la vie ce qui mérite d'être vécu passionnément, à rejeter ce qui mérite d'être rejeté, et à faire un usage modéré de ce qui est moyennement insignifiant; au lieu de lui accorder la première place, ou toute la place.

Tu me diras que tu connais des gens qui lisent beaucoup, et qui sont de parfaits cons. C'est bien possible: la lecture n'est pas un remède infaillible pour se guérir de la connerie qui guette, et attrape, fort souvent, tout homme venant en ce monde. Ce serait trop facile, pour toi et pour moi, s'il suffisait de lire beaucoup d'oeuvres, même géniales, pour être sûrs d'être intelligents et vivants. Mais encore une fois, as-tu plus de chance de devenir plus intelligent et vivant en fréquentant, en aimant les gens très intelligents et très vivants, plutôt qu'en aimant et fréquentant ceux qui ne le sont pas ou qui le sont très peu?

À toi de répondre. Et si tu me réponds que tout le monde est intelligent et vivant, au même degré, alors je saurai que, pour toi, il est extrêmement urgent de lire: c'est une question de vie ou de mort. Ton intelligence, ta vie seraient en train d'agoniser. D'ici peu, si tu ne leur donnais pas un supplément d'oxygène, tu serais devenu un grand **on** tout rond, tout creux comme un ballon.

Dans ce grand **on** insipide, tout le monde se ressemble, tout le monde est également vivant, c'est-à-dire agonisant. Ça peut consoler, si on est déjà suffisamment mort pour que ce genre de vie apparaisse comme la vraie vie. Penses-y, si tu n'es pas définitivement mort, à dix-sept, dix-huit ans. Et au sortir de cette lecture, passe à la bibliothèque ou à la librairie, pour avoir, demain, autre chose qu'un biberon pour allaiter ton esprit.

Je ne me fais pas d'illusions: seuls quelques-uns parmi vous entendront le message. Mais c'est grâce à ces quelques-uns que l'humanité, de génération en génération, ne retombe pas en barbarie. La masse, elle, tombe toujours. Une masse, par nature, c'est toujours attiré irrésistiblement vers le bas, par le poids lourd de son inertie. Une masse, c'est toujours pesant, amorphe, informe, hanté, hypnotisé par le bas. Choisis ta race: la race des hypnotisés par le bas, ou la race de ceux qui s'arrachent au vertige du bas pour se laisser soulever par le vertige qui vient des hauteurs.

CHAPITRE 17

CORRIGER; MAIS QUOI?

...

Je me suis longuement demandé, durant que je parcourais votre ouvrage, comment pareille confusion avait pu s'établir dans votre esprit. Je crois le pouvoir dire maintenant. C'est qu'à votre âge, et pour grand que puisse être votre savoir en d'autres matières, vous en êtes évidemment encore, touchant le langage humain, à l'idée que nous nous en pouvions tous deux former à quinze ans, — je veux dire celle d'une chose tout extérieure à l'homme et toute distincte de lui, absolument comme sa coiffure, par exemple, ou son vêtement. Voilà ce qui explique votre erreur et nous livre enfin la clef de toute votre pensée: vous faisant du style une telle conception, comment douteriez-vous que les défauts du langage ne soient corrigibles de la même manière que les défauts de la toilette, c'est-à-dire indépendamment de l'individu qui le parle? On chasse bien d'un chapeau de feutre, pensez-vous, les taches de graisse par un simple traitement local: pourquoi en irait-il autrement des barbarismes dans la conversation? Ils sont peut-être un peu plus tenaces, mais le procédé pour les enlever est le même. Il ne s'agit que de connaître la bonne recette et de l'appliquer. Ainsi des autres imperfections du langage, et en particulier du solécisme: puisque de simples reprises, aux endroits endommagés, suffisent à restaurer nos chemises, pourquoi de simples *Corrigeons-nous* n'auraient-ils pas le même effet sur notre syntaxe?

Le seul malheur, pour votre thèse, c'est que le langage, comme j'ai déjà eu l'honneur de vous le dire, n'est pas du tout ce que vous imaginez. C'est qu'il n'est rien, au contraire et encore une fois, qui nous soit plus intime et, en quelque sorte, plus consubstantiel, rien qui tienne davantage à la nature particulière de notre être pensant, ni qui en dépende plus étroitement. C'est qu'enfin, tout de même et aussi nécessairement que tel fruit pousse sur tel arbre et non sur tel autre, le langage — le vôtre, le mien, celui du voisin — ne saurait, en dernière analyse et malgré qu'on en eût, que reproduire, jusque dans les plus infimes nuances, les qualités et défauts d'esprit de l'homme qui le parle. Vous voulez, mon cher Montigny, changer mon langage? Commencez donc par me changer le cerveau!

Il n'y a pas en effet à sortir de là, et, de cerveaux paresseux, nonchalants, relâchés, — tels que les nôtres, — de cerveaux à moitié noyés et dissous dans l'*à peu près*, vous ne tirerez pas plus, quoi que vous fassiez, un langage précis, correct, français, en un mot, que vous ne ferez pousser des pommes excellentes sur un vieux pommier tout branlant et tout rabougri. En vain, vous armant des gaules formidables des *Corrigeons-nous*, taperez-vous à grands coups sur tous les fruits flétris du solécisme et du barbarisme, en vain même attacherez-vous de force aux branches — aux branches de notre arbre mental, — par-ci par-là, quelques fruits dérobés aux lointains vergers du bon langage, vous n'empêcherez pas que votre récolte, en somme, ne soit pitoyable. Non! confrère, croyez-moi, ce ne sont pas les fruits qu'il faut soigner: c'est l'arbre; ce n'est pas notre langage: c'est la mentalité qui le produit.

...

(Jules Fournier, *La langue française au Canada*; tiré du livre *Mon encrier*)

Tout cet article de Fournier est à lire par ceux qui, conscients de leur faiblesse en langue maternelle, aimeraient bien découvrir la véritable source du mal, pour ensuite se donner d'autres remèdes que ceux proposés par les fumistes et les charlatans.

C'est d'ailleurs tout le livre *Mon encrier* que je t'invite à lire. Tu y découvriras un écrivain québécois d'une qualité exceptionnelle dans l'ordre de la pensée et de l'écriture. Fournier, par exemple, a le style précis, vif, efficace de d'Artagnan; et comme d'Artagnan, il aime rire, d'un rire intelligent. À son contact, tu prendras en horreur, pour le reste de ta vie, le style pompes funèbres, tout sage de banalité morte, le style White Swan-Louvain-Delsey-Simard et Cie, style plat, lisse et insipide comme une peau de fesse protocolaire.

CHAPITRE 18

HERBIVORES ET BÉOTIENS EN HERBE

L'illustre babylonien Nabuchodonosor II, ancêtre du dinosaure, finit sa vie de bien triste façon: il marchait à quatre pattes, s'enfargeant dans une barbe baobabylonienne, et se fit herbivore en mangeant du foin comme un beu. Bon nombre de nos étudiants semblent bien décidés à prendre sa succession; et dans nos maisons de haut savoir, ce n'est pas le foin qui manque.

Voici un petit texte tout simple de Georges Duhamel que j'ai lu deux fois, lentement, à un groupe de mes étudiants, les ayant prévenus de suivre avec toute leur attention, car je leur demanderais de faire un travail sur ce texte. Une promesse est une promesse: lecture faite, je leur demande de me raconter cette histoire pendant les quarante minutes de cours qui restent. Voici donc le texte de Duhamel et celui d'un étudiant, les deux transcrits très scrupuleusement.

Le jour que nous reçûmes la visite de l'économiste, nous faisions justement nos confitures de cassis, de groseille et de framboise.

L'économiste, aussitôt, commença de m'expliquer avec toutes sortes de mots, de chiffres et de formules, que nous avions le plus grand tort de faire nos confitures nous-mêmes, que c'était une coutume du moyen âge, que, vu le prix du sucre, du feu, des pots et surtout de notre temps, nous avions tout avantage à manger les bonnes conserves qui nous viennent des usines, que la question semblait tranchée, que, bientôt, personne au monde ne commettrait plus jamais pareille faute économique.

- Attendez, monsieur! m'écriai-je. Le marchand me vendra-t-il ce que je tiens pour le meilleur et le principal?
- Quoi donc? fit l'économiste.
- Mais l'odeür, monsieur, l'odeur! Respirez: la maison tout entière est embaumée. Comme le monde serait triste sans l'odeur des confitures! L'économiste, à ces mots, ouvrit des yeux d'herbivore. Je commençais de m'enflammer.
- Ici, monsieur, lui dis-je, nous faisons nos confitures uniquement pour le parfum. Le reste n'a pas d'importance. Quand les confitures sont faites, eh bien! monsieur, nous les jetons.

J'ai dit cela dans un grand mouvement lyrique et pour éblouir le savant. Ce n'est pas tout à fait vrai. Nous mangeons nos confitures, en souvenir de leur parfum.

Georges Duhamel,
Les fables de mon jardin.

C'est la saison des confitures de groseilles, de framboises, fraises etc... Il y a un économiste, monsieur et 2 autres personnages que je ne me rappel pas. Ça se passe dans un champ où il y a des herbivores. Ils sont entrain de parler de la cueillette des confitures, comment il les mets en conserve. Parle de la conservation qu'on les confitures dans les entreprises parce qu'ils ne les conservent pendant si peu de temps. ils discutent de l'odeur des confitures qui sont excellentes surtout en les dégustants. je me souviens de ce morceau de paragraphe: Un des personnages s'écria: "Monsieur, L'odeur, L'odeur des confitures".

Un herbivore

Ce qui soulève bon nombre de questions très pédagogiques.

1. Des travaux de ce genre dépassent-ils l'entendement d'un Québécois normal, scolarisé, de niveau collégial, en 1985?

2. Ce travail est fait en novembre, après de multiples rappels au bons sens: «Ne faites pas dire n'importe quoi à un texte; et ne dites pas n'importe quoi (des conneries) quand c'est vous qui écrivez.» Si j'avais donné ce travail au début de septembre, com-

bien d'autres herbivores, aujourd'hui en vacances quelque part dans le cégep, en auraient profité pour faire les Nabuchodinosaures et *résonner* comme cet étudiant déconne?

3. Quand on me demande de *rattraper* ces étudiants par des cours de rattrapage, sait-on de quoi on parle? Voit-on que si ces étudiants ont besoin de *rattraper* la ponctuation, la grammaire et l'orthographe, ils ont surtout besoin de *rattraper* leur pensée devenue folle à lier? Et que rattraper une pensée déboussolée, c'est plus compliqué que rattraper son souffle ou ses culottes?

4. Que feront ces étudiants en philosophie, en sociologie, en physique, en administration, en psychologie des profondeurs, en tout? Ils *résonneront* comme ils *résonnent* en français. Mais tout en déconnant très fort et en écrivant au son cacophonique des casseroles creuses, est-il possible qu'ils franchissent le mur du son et entrent glorieux au royaume des herbivores diplômés, en obtenant un DEC? Pourquoi pas? Ils ont bien *passé à travers* tous les murs du secondaire. Pourquoi ne passeraient-ils pas à travers les murs du collégial, si ce niveau fait lui aussi l'effort louable de s'adapter à la pensée et à la langue des herbivores? Si j'étais herbivore en herbe, je verrais avec satisfaction qu'il se fait beaucoup d'efforts en ce sens. Je me dirais: «Hi commence a hian awère pas mal qui m'com-preennes. Heureuseman hi sons pas toutes o si bouchers comm' Beaupré. Tsé zveux dire.»

5. J'ai donné 6/15 à cet étudiant. Suis-je trop sévère? Qu'en penserait Duhamel ou tout humain normal, s'il n'a pas été nourri trop longtemps au foin? Et si, malgré ma grande générosité, 30, 40, 50% de mes étudiants échouent ou abandonnent (ce qui revient au même), est-ce moi le criminel, ou notre système d'éducation qui nous envoie un si grand nombre de ces herbivores? Et si nous-mêmes nous poussons ces herbivores en troupeau vers l'université ou le marché du travail, ne sommes-nous pas aussi criminels que ceux qui nous ont précédés dans le noble métier d'éleveurs d'herbivores?

Un jour, j'avais écrit un petit article de ce genre où je parlais incidemment des Boétiens, race tout aussi illustre et *New Wave* que celle des herbivores. Et un enseignant me dit ingénument qu'il ne savait pas ce que c'était des Béotiens. Je le consolai en lui disant: «T'en fais pas: eux non plus, les Béotiens, ne savent pas ce que c'était des Béotiens. Ce qui ne les pas empêchés d'être illustres, de leur temps et aujourd'hui encore.» À vos souhaits!

AUTRES PUBLICATIONS DE L'AUTEUR

Les arts plastiques, Centre éducatif et culturel, Inc., Montréal, 1968, 285 pages, 180 illustrations.

Virgile, Centre de psychologie et de pédagogie, Montréal, 1968, 223 pages, 17 illustrations. Épuisé.

La colombe et le corbeau, Le cercle du livre de France, Montréal, 1971, 180 pages, 16 illustrations.

Wawatapi Hourlo, publié à compte d'auteur en 1971, 10 illustrations de l'auteur.

L'homme ou la loi?, publié à compte d'auteur en 1972, 48 pages. Épuisé.

Guide touristique du Québec (non officiel), Montréal, Éditions québécoises, 1973, 138 pages.

L'école noire sur blanc, publié à compte d'auteur en 1976, 60 pages.

Le français par coeur et par raison, publié par le Campus Mingan en 1978, 34 pages. Épuisé.

Québécois ou francofuns?, publié à compte d'auteur en 1978, 250 pages.

Pierres vives (Archipel Mingan), Castelriand Inc., Rivière-du-Loup, 1979, 76 pages, 120 photographies ou fusains de l'auteur.

La poésie, Sept-Îles, 1982, 150 pages.

Insomnie syndicale, Sept-Îles, 1982, 32 pages.

Les médisances d'un professeur solidaire, Éditions E.I.P., Verdun, 1983, 206 pages.

Regarder jusqu'à voir clair, Cégep de Sept-Îles, Sept-Îles, 1984, 204 pages.

Réflexions pédagogiques, Cégep de Sept-Îles, Sept-Îles, 1984, 75 pages.

Recueil de textes pour le cours «Essai», Cégep de Sept-Îles, Sept-Îles, 1985, 295 pages.

Traduction de G.K. Chesterton, *L'homme éternel (The Everlasting Man),* Cégep de Sept-Îles, Sept-Îles, 1985, 350 pages.

Les pierres elles-mêmes le crieront, Éditions Paulines, Montréal, 1985, 150 pages.

PARUS AUX ÉDITIONS LA LIGNÉE

Dans la même collection

Pierre BOISSONNAULT, Roger FAFARD et Vital GADBOIS. *La dissertation. Outil de pensée, outil de communication,* 1980, 256 pages.

Francine GIRARD. *Apprendre à communiquer en public* (2e édition), 1985, 280 pages.

Francine GIRARD. *Réussir son diaporama. Un guide d'apprentissage,* 1985, 96 pages.

Michel PAQUIN et Roger RENY. *La lecture du roman. Une initiation,* 1984, 258 pages.

Dans la collection *Pratiques langagières*

Françoise LIGIER et Colette RODRIGUEZ. *Du bon usage de votre livre de grammaire,* 1985, 128 pages. (Série *Outils*)

Françoise NOVEL, Alfred OUELLET, Françoise LIGIER et Louise SAVOIE. *Lire les faits divers,* 1985, 104 pages. (Série *Pratiques de discours*)

Idem. *Lire les faits divers. Guide pédagogique,* 1985, 60 pages. (Série *Pratiques de discours*)

Imprimé au Canada
Achevé d'imprimer sur les presses
de l'Imprimerie La Providence
Saint-Hyacinthe
Septembre 1985